新版

万病を治す
冷えとり健康法

進藤義晴

農文協

はじめに（この本を出したわけ）

鬼子母神は千五百人もいる子どもの中の、一人だけがいなくなっても必死になって探しまわった、といいます。

これと同様に大勢の患者さんの中に、一人でも順調に治らない人があると、医者としては、何とか治す方法はないかと苦労するものです。

耳鼻科の医師として、そのような悩みを抱えながら、二〇年余りを過ごしてきて到達した結論は、「西洋医学には重大な欠陥があるから治りが悪いのだ」ということでした。

その欠陥とは、局所にばかり目を向けすぎて、患者さんを人間全体として見ることをおろそかにしている、ということです。

では、人間全体としてみる医学があるのか？　と考えてみて、思い当たったのが東洋医学でした。

こうして鍼灸の勉強をはじめたのが、一七年前です。

東洋医学と西洋医学を併用すると、治療成績は上がってきました。そして耳鼻科の病気だけでなく、喘息、糖尿病、神経痛等々全科にわたって診療できるようになり、診療の中にしめる東洋医学の比重が次第に増してきました。

七年前、事情があって公立病院を退職し、自宅開業したのを機会に、診療は東洋医学一本としました。そして治療を続けるうちに、東洋医学で病気の原因とされている六淫六邪などの中で「寒邪」(俗にいう「冷え」、「冷え症」)がとくに気になるようになり、観察を進めてみると、すべての患者さんについて、その存在が認められることがわかりました。

そういえば私自身も二〇年ほど前から、冬になると足もとが寒くて体調が悪くなり、防寒ブーツをはくと楽になっていたことが思い出されます。

そこで、下半身だけ温める入浴法を試みたところ、かぜ気味で体が熱っぽい日でも、こうすると翌日は治っていることを体験しました。また、真冬の真夜中に下半身だけ湯につけていても、上半身は、空気の冷たさは感じながら「寒い」とは感じないことを発見し、「冷たい」のと「寒い」のとはちがうのだ、ということもわかりました。そして始終悩まされてきた肩こり、歯痛等が軽くなり、かぜで寝こむこともなくなりました。

そのほかに、服装や暖房などについてもいろいろ観察、考案を重ねてゆき、「冷え」こそが、すべての病気の原因であり、したがって、これをとり除くことが根本的治療である、と確信するようになりました。

四年ほど前から、この冷えとりを中心に据えて診療を行なったところ、治療成績がいちだんと向上し、患者さんの数も増えてきました。

その中で自然食研究家、小室美智世先生とご縁ができ、先生ご自身も、この冷えとり療法によっていちだんと体調が良くなられたことから、この治療法を広めて多くの人々のお役に立ててはどうか、とのおすすめがありました。そのような次第で本書が生まれたのです。

本書には、理論的なことも一通りは書いてありますが、それが完全なものであるにしても、たとえ不完全なものであるにしても、とにかく「冷え」をとり除けば万病が治る、という「事実」には、まちがいがありませんので、まず試みに実行することをおすすめします。

お嫁さんから「冷え」をとる靴下の話をきいて、試しにこれをはいてみたお姑さんが、それだけで永年の高血圧が治った、という例もありますが、これは「事実」が、この療法の正しさを物語り、実行こそが実効を生む好例だといえるでしょう。

先入観や偏見を捨てて、健康の第一歩を踏みだされることを祈ります。

昭和六十三年一月

著者

本書に関するご質問は、左記でうかがいます。

TEL　0568—76—0295　進藤幸恵

新版のための序文

本書を発行して一二年の間に多種多様の新たな症例、現象を経験、見聞したので、改訂、補足の必要を痛感するようになりました。

できれば全部書き直したいところですが「冷えとり」入門書として、できるだけ当初の姿を残しておきたいので最小限に留めました。

本書を発行してもっとも驚いたことは、世間には本を読み他人の話を聞いて、その内容を理解しようとする意志または知能が不足している人があまりにも多いことでした。

義務教育修了程度の学力があれば理解できるよう平易な文章にしたつもりなのに、年間一〇〇〇余通寄せられる質問、相談の便りの中、まともなのは一〇通前後で、その他は本書を、すみずみまで読み返し物事を筋道立てて理性的に考えれば理解できるはずの事柄ばかりです。

近頃、政治・経済・行政・教育・子育て等々各方面でいろいろと困った問題が多発しているのも、このような生活態度が世の中に行きわたっているからでしょう。

本書に従って心と体の「冷え」をとり、体も心も家庭も世の中も健康で明るくなるよう努力する人が多くでてくることを希望します。

二〇〇〇年三月　　　　著　者

目　次

14

マンガ・とよたかずひこ

Ⅰ ひとはなぜ病気になるのか

――冷えは万病のもと

第1章　病のかげに気づかぬ冷えあり

1．冷え症だけが「冷え」ではない――「冷え」とは何か

「冷え」と「食べすぎ」が万病（すべての病気）の原因になります。「食べすぎ」のほうはわかりやすいのですが、「冷え」については多少の説明が必要です。

手足が冷たく感じる、いわゆる「冷え症」だけが「冷え」ではないのです。

(1) 下が冷たく、上が熱いのが「冷え」

東洋医学でいう、「六淫六邪」（病気を起こす十二の要因）のなかに、「寒邪」というものがあります。

漢方のバイブルといわれる『傷寒論』には、寒邪による病態と、その対策が詳細かつ系統的に解説されています。

これは「寒邪」がほかの病邪よりも、著者（張仲景であるといわれている）の目をひくほどに重要なものであったことを示しているからだと思います。

しかし、「寒邪」という字が示しているように、著者は季節による寒さに主として注目していたように思います（注『傷寒論』中では「寒邪」とは何か、ということについては、説明されておりません）。ですが、本書でいう「冷え」は、この「寒邪」よりも広い概念でとらえる必要があるのです。

ここでは人体の上下の間の温度差のほかに、居住環境の上下の温度のちがい、精神状態による「冷え」、食物の性質による「冷え」なども対象としています。

まず、人体の上下の間の温度差について説明します。

下半身、とくに足首から先が低温で、上半身が温かい状態を「冷え」といいますが、これは相対的なもので、足もとを温かくしていても、上半身をそれ以上に熱くしていれば「冷え」の状態にあることになります。

「冬に『冷え』るのはわかるけれど、夏でも『冷え』るのか？」という疑問を抱く人が多いのですが、右の理由によって、夏でも「冷え」るのです。

いわゆる「暑気あたり」は、六淫六邪の寒暑の「暑」にあたりますが、足もとが寒いわけではなくて、頭・上半身が日光等による高温にさらされ、そのため相対的に足もとが「冷え」て起こる状態であり、また、興奮して頭に血が昇ると、頭が熱く足もとが冷えた「のぼせ冷え」の状態になるわけで

す。これは精神状態による冷えなのです。

これとは反対に、足もとが冷たいと上半身がポッポとしてきたり、顔が赤くなって「のぼせ」の状態になりますが、これを「冷えのぼせ」といいます。田中角栄元首相は典型的な「冷えのぼせ」状態にあった人でした。

次に居住環境の上下の温度差ですが、最もわかりやすいのは、冬季、暖房している室内の上下の温度差です。

暖房しただけの室内は、温かい空気が上に昇るので、顔の高さと膝の高さで摂氏一〇度も温度差が生じることがあります。これでは「冷え」るのが当然といえましょう。こんな環境で冬中を過ごしたら病気にならないほうが不思議なほどです。

扇風機などを使って空気をかきまわしてやると、上下の温度差が減り、不快感が軽減されます。

(2) 食べものでも「冷え」は起こる

食養で有名な桜沢如一氏は、食品には陰性のものと陽性のものがあると主張され、陰性の体質の人は陽性の食品を多くとり、陽性の人は、陰性のものをとることによって健康を保つことができる、とされました。中国料理専門家の中にも、このように考える人がいます。細かい点では、ちがうところもあるでしょうが、原則は同じです。

陰性の食品は体を「冷やす」性質があり、陽性のものは温めてくれます。「冷やす」性質のものは、熱くして食べてもやはり「冷やし」ますし、温める性質のものは、冷たくして食べても温めてくれるものなのです。

都会の生活は、体を陰性に傾けやすく、また「冷え」を強めますので、陽性のものを多くとり陰性のものを少しだけにしておく必要があります。

とはいっても、陰性のものは悪いから全然食べない、陽性のものは良いから、そればかり大量に食べるなどというのはまちがいで、かえって体を悪くしてしまうでしょう。

良いものばかり食べていると、体から悪いものに抵抗する力が抜けていくのです。機械でも体でも使わないでいると錆がついたり、なまったりして弱くなります。これを、廃用による退化といいます。暗黒の深海や、鍾乳洞の中の魚や昆虫に、眼が退化してなくなった種類があるのが、これなのです。

ですから、悪いものを少しだけとり混ぜて食べるのが良いのです。砂糖ばかりたくさん入れて、おいしい「ぜんざい」はできません。塩をちょっと入れると、おいしくなります。塩が砂糖の甘味を引き立たせるからです。これを「かくしあじ」といいます。

漢方薬の中には、目標とする作用を持つ成分が何種類か入っているだけでなく、反対の作用を持つ成分が少量入っていて不可解に思われていたのですが、実はこれで薬の作用を強化していたわけなのです。

西洋医学の薬は、純度を高めることに力を入れるばかりで、「かくしあじ」などという、しゃれた考えがありません。考え方が単純だから、効果にも限度が出てくるのかもしれません。

桜沢式の食養を、懸命になって厳格に実行しているのに胃の不調が治らない、といって来院した人がいました。「あまり厳格にやりなさるな。八分通りにしておきなさい」と指示して、「冷え」をとることを教えてあげましたら良くなりました。

(3) 体表が温かく内部が低温なのも「冷え」

また、体表より体の芯（内部）のほうが低温の場合も、「冷え」といいます。これは皮膚面がほてっていても体内は冷えている状態で、たとえば酒を飲んだときや、熱いお風呂に肩まで浸かっていた時の状態です。

酒は体表の血管を拡張して温かくしてくれますが、陰性の食品に属するので体の芯は「冷やし」ているのです。

2. 冷えと食べすぎが循環障害を招く

(1)「冷える」とどうなるか

私たちの体をサーモグラフィー（体温の分布を見る装置）でみてみると、例外なく上半身は温度が高く（心臓を中心に三七度前後）て下半身は低く、とくに足もとは三一度以下になることが確かめられています。このことから、人間は誰でも「冷え」の状態にあることがわかります。

病理学的に説明すれば、この「冷え」つまり低温によって血管が縮み、末梢の循環不全（動脈血流の減少や静脈血の「うっ滞《たい》」（うっ血））が起こります。俗な言い方をすれば「血のめぐりが悪くなる」のです。

この状態がある程度以上長く続くと、末梢の毛細血管の中には、交通渋滞の道路の自動車のように血球がたまり、流れが遅くなり止まりそうにさえなります。これを専門的には「血球スラッジ」（下水管にたまったヘドロみたいなものという意味）と呼び、東洋医学では「悪血《おけつ》」または「瘀血」、民間医学では「ふるち」と呼びます。

血液は体ぜんたいの細胞に養分や酸素を供給し、炭酸ガスや老廃物を運び去る働きをしているのですが、「血のめぐり」が悪くなると、必要なものはこないで、いらないもの、有害なものが出てゆかずたまってしまい、細胞の機能が低下したり狂ったりします。ひどい時には死んでしまいます（壊死《えし》）。こんなことが内臓の中でも起きるので、内臓機能の低下をきたすだけでなく、病的物質の産出（たとえば結石）、免疫力の低下、潰瘍形成、腫瘍細胞の発生などにつながるのです。

これを東洋医学的に説明しますと、次のようにいえます。

東洋医学では、陰陽二種の気が体内を循環していれば健康、この循環が乱れ、とどこおりなどすると「病気」になるとされています。陰の気は下から上に上がりたがる性質を持ち、陽の気は上から下へ下る性質を持っています。しかし、陰の気は冷たい所を好み陽の気は温かい所が好きなので、足もとが「冷え」ていると、「陰の気」は冷たい足もとから上へ昇ろうとせず、陽の気は温かい上半身から下っていきたがりません。つまり気のめぐりが悪くなるわけです。そして血は気と共にめぐる性質がありますので、気のめぐりが悪いと血のめぐりも悪くなるわけです。

(2) 食べすぎが病気の原因になる理由

食べすぎると、血中コレステロール値が上がることは広く知られています。このような血液は粘っこくなって流れにくくなります。つまり「血のめぐり」を悪くするわけです。

その上、食べすぎでできたコレステロールは、脂肪となって皮下にたまるだけでなく骨髄の中、内臓の中、内臓と内臓の間、そして血管の壁にもたまります。

血管の壁にたまると壁が厚くなってきて、内腔（血液の通る空間）が狭くなってきます。粘っこくなった血液が、狭くなった血管の中を流れるのは難しいことです。つまり、「血のめぐり」が悪くなるということです。それでも末梢まで充分な量の血液を送ろうとすれば、血圧を上げるしか方法はありません。

「冷え」のために血管が縮んでいるので、血圧を上げる必要がある上に「食べすぎ」によって、もう一段上げなければならなくなるのです。

こうして「冷え」とともに「食べすぎ」も「血のめぐり」を悪くし、病気を重くしてゆくのです。

(3)　自然治癒力で病気は治るはずだが

以上「冷え」が原因で病気が起こるしくみの大筋はおわかりと思いますが、「冷え」があるとすぐに目に見える「病気」が起こる、というわけではありません。

それは、生物には自然治癒力とか自然良能とか呼ばれる能力があって、常に正常な状態を保とう、病的状態を治そうとしているからです。しかし、この能力も万能ではなくて、「冷え」があると、そ

の働きが弱められたり歪められたりするのです。

健康な牛や馬は、牧草の間に毒草が混じって生えていても選り分けて食べる能力を持っていますが、ひどく腹が空いていると「食べたい！」という焦りで頭に血が昇り「冷え」の状態になるために、この能力が弱くなってしまい毒草も食べてしまいます。

「冷え」がなければ悪いものは食べないし、必要以上に食べることもありません。足もとを冷やしたり、そのほか健康に悪い影響のあることはさける、という能力が働くのですが、「冷え」のためにこの能力が乱れてしまうと足もとをいっそう冷やしたくなったり、腹一杯食べたくなったり、そのほか健康をそこなうことが好きになり、それがまた「冷え」を増強し、増強された「冷え」で自然治癒力が弱められ、病気が治りにくくなるという悪循環におちいります（逆に「冷え」がとれると「こんなひどい状態が治れば奇跡だ！」と思えるほどの病変でも、自然治癒力の働きで正常になります。したがって、ガン、アザ、アトピー、はげ、古傷の跡などなど、大昔から誰もが治ったと聞いたことも見たこともない病変―生まれつきのもの―でも治ります）。

こうして病毒は絶えず増加し、たまりこんでいき、限度を越すとそこで初めて「病気」が目に見える状態になるのです。

ですから「病気」は、いわゆる発病以前に長い間の潜在期間があって、その期間中は自覚症もなければ検査成績も正常なので、一般的な意味では「健康」と思われているだけなのです。

「健康」と思われている人が、急に大病を患ったり急死したりすることがあるのは、こういうことなのです。

人間ドックで太鼓判を押されて帰ってきて、三日目に心不全で亡くなられたり、毎年きちんと胃ガンの検診を受けている人が、その二ヵ月後に、どうも胃がおかしい、と検査を受けたら胃ガンで、手術の甲斐もなく一ヵ月後に死亡された例などがありますが、これは検査にまちがいがあったのではなく、その時は潜在期間中であったのです。

なお、あとで詳しく述べますが、病気があるかどうかは、顔色を見ればわかるものです。本当に健康な人は、東洋医学でいう五色（赤、青、白、黒、黄）が淡く全体に散っていて肌に「つや」がありますが、病気の人は五色の中のいくつかが濃く現れていて、肌に「つや」がありません。

また、どこかが痛いとか、しびれるとか何らかの愁訴（自覚症）があって、医師の診断をうけても何の異常も発見できず、「自律神経失調症」とか「ノイローゼ」などとして処理されている場合の大部分は、この潜在期間が終わりに近くなっていることを示しているのです。ただし、この中間期も人によって長い短いがあり、それは自然治癒力の強さに個人差があるためです。

(4) 病気が多種多様であるわけ

「冷え」と「食べすぎ」で血管に異常ができ、「血のめぐり」が悪くなるのなら、全身の血管全体に平均して異常が起こるのか？　と思う人もあるでしょう。また、それならば誰でも同じ病気になるはずではないか？　とも考えられるでしょう。しかし現実には、四百四病とか万病とかいう言葉が示すように、病気は多種多様です。どうしてそうなのでしょうか？

「冷え」のために、全身の血管はいつでも平均して少しだけ縮んでいます。これによって自然治癒力に狂いが生じ、「食べすぎ」その他健康をそこなう生き方がしたくなります。例えば酒が飲みたくなる、たばこが吸いたくなる、麻薬に手を染めるなどです。そしてこのあやまちが、「冷え」を増強して病気の悪循環をひき起こしてゆくわけです。

こうして「冷え」が強くなってくると、血管は部分的に比較的強く縮み、時によっては数秒間から数分間「けいれん」を起こして強く縮み、血行がほとんど止まるほどになります。

また、「食べすぎ」でできたコレステロールが血管壁にたまる量も、局所によって差があります。体のどの部分、どの内臓に、このような強い血管の異常ができるかによって、病気になる局所、内臓などが決まってくるのです。

どこにどんな病気が発生するかを決める第一の要因は、心の歪み、つまり自分本位の想い、我執、我欲ですが、これについては後でもう少し詳しく説明します。

我執には個人差があるのですが、その型によって六淫六邪のどれの影響を受けるかがある程度決まります。そして影響される外邪によって不調になる内臓が決まります。たとえば燥邪は肺、大腸、湿邪は消化器、暑邪（熱邪）は心臓、小腸、寒邪は腎、膀胱といったぐあいです。

そのほか、遺伝、生活環境、職業、など種々雑多、千差万別です。

仕事の必要上、体の一部を酷使する人は、その場所に病気が発生することが多いのですが、これは酷使によってその部分が最少抵抗部位（抵抗力が最も弱い部分）になっているためで、病気が発現しやすい場所なのです。また、同じ仕事をしていても、何ともない人もあれば、早々と職業病になる人もあるのは、潜在的に持っている病気の深さが人によってちがうからです。

図1　コレステロールによる血管の変形

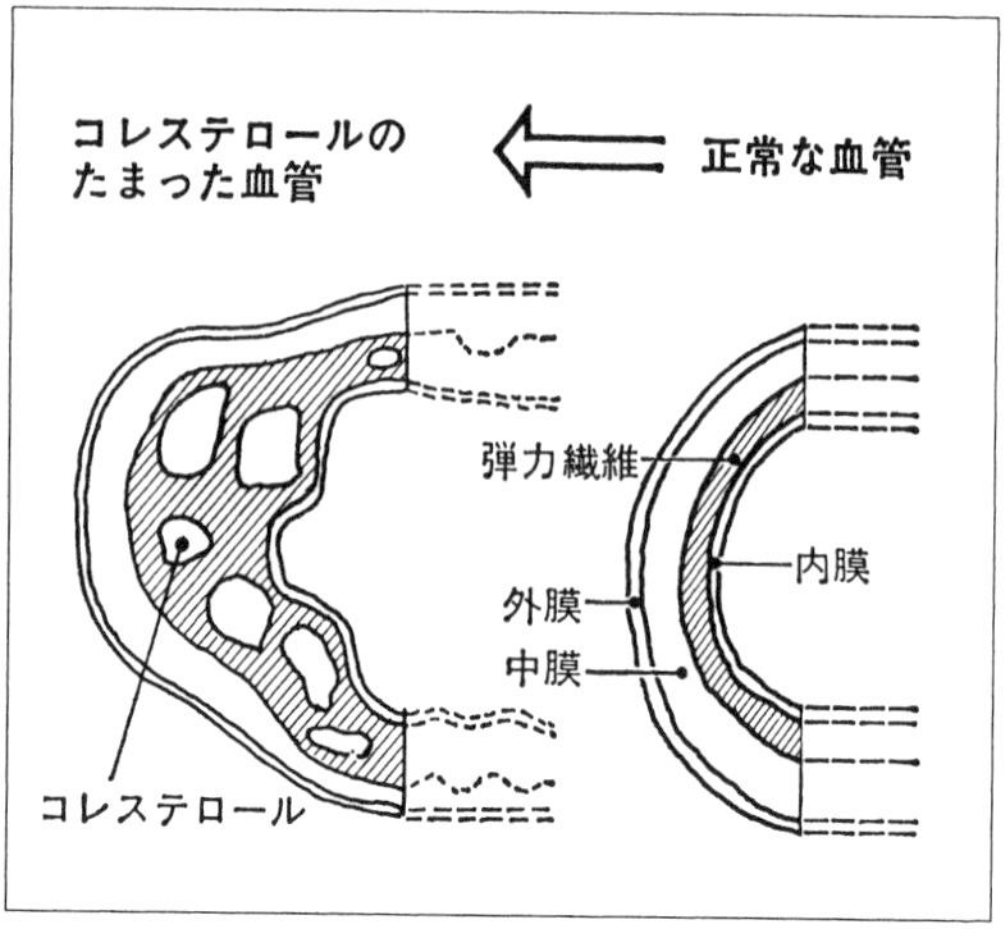

(5) 頭痛、しびれは脳血栓・脳梗塞・くも膜下出血の危険信号

血管壁の異常が平均していなくて、局所によって差ができると血管は曲がりくねってきます。蛇行するわけです。太い細いがあったり、曲がりくねった血管の中では、血液の流れに速い遅いができたり渦ができたりします。

血管壁の細胞は直接血液から栄養分を受けとっていますが、血流が遅くよどんだり渦を巻く場所では、新しい血液が充分にまわってこないので、細胞の調子がおとろえ血管壁が荒れてきます。そうなると、その部分で血液が固まり始めます。つまり血栓ができてくるわけで、これが次第に大きくなるとおしまいには血管を塞いでしまいます。**血栓症**といいます。

血管の壁は、弾力を持って伸び縮みしながらも、血圧に負けない強靭さを保つために弾力繊維が網の目をつくっているのですが、コレステロールがたまると、この繊維の間が開いてきて破れやすくなり、ひどい場合には厚ぼったくなった壁がはがれて二つの層に分かれたりします。こうなるとその部分は弱いので血圧に負けて膨らんできます。**動脈瘤**といいます。動脈瘤は次第に大きくなって、やがて破裂します。それまでにも中で血流が渦を巻くので、そこから先は血が流れにくくなってしまいます。

蛋白質のとり方、とくに豆類の蛋白質が少ないと、血管はもろくなって**破れやすく**なります。

コレステロールがたまって血管の内腔が狭くなってゆくと、そのうち完全につまってしまいますが、これを**梗塞**といいます。

このような状態のどれがあっても、その場所から先への血流は非常に少なくなるか止まってしまうかすることになります。

このような状態であるのに、足もとを冷やしたり、冷える食物を食べたりすると、血管の一時的な「けいれん」が起こり血流が完全に止まります。これを一過性虚血といいます。

こんな事態が頭の中の血管で発生すると、頭痛、ひどいときには手や足のしびれが起きます。

脳の血管で血栓ができ、完全につまるのを脳血栓、梗塞でつまるのを脳梗塞、そして破れたのを脳内出血といいます。

習慣性の頭痛や手足などのしびれは、これらの病気の前ぶれですから、頭痛薬などで一時しのぎをしていないで根本的な治療をしたほうがよいと思います。

心筋梗塞・レイノー病も循環障害　脳梗塞と同じことが心臓の冠状動脈で起こると、心筋梗塞になります。足の血管で起こるとレイノー病（間欠性跛行）といって、しばらく歩くと足が痛くて歩けなくなり、休んでいるとよくなって、また歩き出すと痛くなるという病気になります。これがひどくなると、末端まで充分に血がいかないので、足の指先から細胞が死んでいきます。仕方がないのでだんだん切っていくのですが、大腿から上は切れないし、そこまで悪化するころには心臓や脳の方でもかなり障害が進んでいるので、心筋梗塞や脳梗塞で死んでしまうということになるのです。

(6) 現代の難病・肝硬変も循環障害――しかし不治ではない

肝硬変は、今の医学では腫瘍より治らない、どうしようもないといわれていますが、必ずしも不治ではありません。

肝硬変になると、肝臓が縮みます。すると、下半身から心臓へ戻る静脈が、肝臓の中を通っているものだからそこでとどこおって、行き場所がなくなるわけです。そこで、腹壁から食道の静脈を通って心臓へ帰ろうとする。ところが食道の静脈はそれほど太くないので、余計な血圧がかかって、静脈瘤ができる。肝硬変の人はたいていそれが破裂して亡くなるのです。

私のみた人で、そういう食道静脈瘤の小さいのが、ボッボッとあちこちにできていて、破れそうなものは焼いて固めてということで入院している人がいました。この人は、三ヵ月くらい遠隔治療（神霊医療による――詳しくは177ページ「付」参照）をしていたら良くなり、退院していきました。完治というわけではなくて、通院はしているようですが、少なくとも静脈瘤が破裂する危険はなくなったということです。

体の再生能力とは　これは、体の再生能力を示しています。肝硬変は、肝臓細胞が冷えなどの毒で異常になって、弾力繊維が増えてひきつってしまう、それで肝臓内の静脈は締められるし、肝臓機能も落ちるといわれているのです。それが食道静脈瘤がなくなってきたということは、肝臓の弾力繊維が正常な状態に戻ってきて、肝臓内の静脈が正常に機能するようになったということでしょう。

手術をしたあと、胃ガンでも何でも、その手術の傷跡が固くて膨らんでいたりして、そして触ると気持が悪いというときは、胃ガンが治っていないのです。

治っていれば、それがきれいに平らになって、触っても何ともなくて、柔らかくなっています。

それだけ、体には再生能力があるのですが、再生したいと思っても、冷えで循環障害があると充分に働けないものだから、力を発揮できないわけです。発揮できないようにしておいて、再生能力がないというのは、これはちょっとおかしいことです。冷えをとってやれば、血液の循環がよくなる。すると、細胞は正常に働く。正常に働けば、再生能力もちゃんと出てくる。病変を起こした細胞も、もとに戻るということだと思います。

(7) 椎間板ヘルニア・ギックリ腰は冷えとりとツボで治る

ギックリ腰で来院する患者さんもたくさんいます。急に重いものを持ったりしたとき、腰に激痛がはしって動けなくなるという、日常生活に支障をきたす症状ですが、このギックリ腰に悩む人は、非常に多いのです。そしてしっかり治さないでいると、だんだん悪化し、椎間板ヘルニアという症名がついて慢性的なものになってしまいます。これについてはいろいろな治療法が考案されていますが、私のところでは冷えと食べすぎに注意することと、ツボの治療で治しています。

ギックリ腰は、冷えと食べすぎによる循環障害が、背骨の第五腰椎あるいは第二腰椎の周囲の筋肉で起こるためにでる症状なのです。腰の筋肉が、貧血を起こしてひきつるので痛いのです。このひきつりが長くつづくと、腰椎を歪めて、椎間板ヘルニアとか脊椎すべり症とかいわれる状態になるのです。だから冷えをとって、血が充分めぐるようにしてやれば治ってきます。

二〇代の女性で、ギックリ腰を悪化させて椎間板ヘルニアになってしまった人がいました。その人は、もう触るとわかるくらい、第五腰椎がへこんでいるのです。そこで、応急処置としては、陽関というツボで治療しました。これは陽気の通る関所という意味のツボで、ここに治療すると冷えが抜けるのです。陽関はちょうど第五腰椎のところにあるし、また膝の横にもあるので、どこで抜いてもいいのです。この患者さんの場合は、陽関の応急処置と冷え・食べすぎの注意を守ることで、痛みもなくなり、背骨のくぼみもなくなって完治しました。

ただし、ギックリ腰・椎間板ヘルニアは冷えが原因ですから、一度治っても、油断してまた冷え・食べすぎの生活をくり返せば何度でも再発します。冷えには一生気をつけていないといけないのです。これは他のすべての病気についてもいえることです。

なお、素人がツボの位置を教えられて利用しても、あまり効果はありません。それなりの熟練が必要です。それよりも、しっかり「冷えとり」をした方が大きな効果が得られるものです。

(8)　生理不順のしくみ

女性の生理不順も、はたからはわかりませんが、気分がすっきりしない、体調がすぐれないといったことに加えて、子宝に恵まれないご夫婦にとっては深刻な悩みの種にもなっています。

生理不順は卵巣ホルモンの分泌が悪いといわれているのですが、ではなぜそうなるのかというのは、現代医学ではわかっていません。これも実は、卵巣へいく血管の循環障害が一番の原因なのです。

それから、食べすぎを続けていると、子宮筋腫にもなります。食べすぎでできたコレステロールが変形して筋腫に変わるのです。

しかし食べすぎに注意し、冷えにも気をつけていると、生理でもない時に出血をみることがあります。それが、色から何からふだんの生理のものと、ちょっとちがう。中に少し塊があったりします。

そして、おなかを上から触ってわかるくらいにあったものが、きれいになくなってしまっているというような例もあるのです。

3. 感じない「冷え」が恐ろしい——気づかぬうちにたまる冷え

以上は、冷えによって起こる病気のうちのごく一部です。しかし、「私は別に冷え症じゃないし、よく手足が温かいと言われるくらいだから、関係ないわ」という人もいるかもしれません。ですが「冷え」と「冷え症」はちがうのです。「冷え症」は、手足が冷たいということが自覚されるのですが、ときには、冷えを自覚していない人のほうが重症の冷えを抱えこんでいることもあるのです。これは、男性にもいえることで、よく冷え症は女性特有の病気と思われていますが、冷えは性別とは全く関係がないのです。

(1) 本能の狂いが自覚をさまたげる

あなたは冷えている、というと、いや、ほてって困るという人がずいぶんいます。

このように、冷えを感じないとか、かえってほてるというのにはわけがあるのです。

一つには、体を冷やすような服装、食事、生活態度をすることで、本能が狂うということがあります。つまり、日常そのような生活をしていると、いわば冷えに慣れっこになってしまって冷えを感じるべき本能が働かない状態になるのです。これは冷えがありながら、冷えを感じない段階です。

しかし、この冷えがさらに進むと、人間の体には恒常性を保とうとする働きがありますので、進みすぎた冷えをなくすために発熱が起きてきます。これが、体がほてって困るという人の状態なのです。だから、これはかなり冷えが進んでいるという警告と考えなければなりません。

よく糖尿病の患者さんが食欲の異常昂進を示しますが、これも同じ理屈です。糖尿病で、消化器に負担がかかり、消化器が頼りにするのは食べものですから、異常に食が進むのです。冷えが進みすぎて発熱し体がほてるというのも、これと同じことなのです。

そして、さらに冷えが進んで、もう末期に近いということになると、あちらこちらに「ふるち」がたまり、体の発熱も追いつかなくなって、冷えが感じられるようになります。こういう人は足もとが冷えて困る、夏でも寒くて困るなどといいますし、冷えを感じる以外にもさまざまな症状を併発していることが多いのです。一方治療していて、本能が正しくなってくると、足もとが冷えているのが、わかるようになるものです。

だから、末期か、よくなってきている場合は冷えがわかるということです。

こちらで治療している人も、治療がだんだん進んできて、体の調子がよくなってくると、真夏でも冷えがわかり、いっぱい靴下をはいて、そして、ズボン下をはいて、上はランニング一枚になるので

す。そういう例が多いのです。

秋口におこる子どもの長期微熱

小児科の先生から、秋口によく子どもの微熱が長期間続くのだが、という相談を受けたことがあります。これは、いろいろ検査してみても何も原因らしいものがない。二ヵ月も微熱が続くので、結核ではないかと誰もが考えるのですが、そうでもない。どうしたのだろうということになるのですが、これも冷えがたまってきたためにおこる発熱なのです。

ふだんから体を冷やすような生活をしているところへもってきて、夏はプールや海で遊びます。それも、水遊びというのは腰から下だけ水の中に入って遊ぶので、頭寒足熱とは全く逆なのです。それで冷えがたまる。それでも暑いうちは一見無事にすんでいるのですが、秋口になって急に涼しくなってくると、一度に冷えを感じるのです。するとこれは体を温めなければ、ということで発熱がおこるのです。ところが、親や医者のほうでは、熱があるということで解熱剤で下げようとする。体の方はそんなことをされてはたまらないと、また熱をだす。解熱剤が切れるたびに熱がでるということで、微熱がいつまでも続くのです。こういう場合は、薬などあたえずに、第4章でのべる冷えをとる入浴法を行なえば、三日くらいで治ります。

(2) 簡単な自己診断法

たいていの人は、自分では冷えがあるとは感じません。それだけ本能が狂っているのですが、冷えがあるのかないのか、簡単に見分ける方法もあります。

よく暖房の部屋へ入ると具合が悪いとか、冷房はどうもいやだという人がいますが、こういう人は冷えが相当進んでいるものと思ってまちがいありません。

冷暖房のきいている部屋は、たいてい上の方に温かい空気があって、足もとにはより冷たい空気がたまっているのです。この温度差は想像以上に大きくて、ひどいときには上と下で一〇度もちがうことがあります。頭が暑くて足が冷たいというのは、冷えには一番悪い状態なのですが、こういう部屋へ入ると具合が悪いというのは、ふだんは自覚されない冷えが増強されて、ひどくなるということなのです。

それと同じで、丼ものや麺類を食べると、暖房の部屋で暑い空気を吸ったのと同じ状態になります。ラーメンを食べると水鼻がでて困るといった人は、もう冷えがはっきりしている人です。

そのほか、次のような場合には冷えがたまっていると思ってください。

のぼせやすい（上半身、とくに顔が赤くなり、汗がでやすい）

暑がり

直射日光が苦手

熱い風呂が好き

また、寒がりの人や汗がでない人は、右にあげた場合よりも重症の冷えを抱えていると思ってください。

(3) 原因不明の赤ちゃんの泣きも冷えが原因

それから、赤ちゃんがなぜ泣くかわからないという場合があります。赤ちゃんが泣くのは、おなかが空いている、暑苦しい、寒い、着物がしわになってどこかにあたって痛いとか、オムツが汚れている、運動不足で食べたもののエネルギーが燃焼不足で気分が悪いとか、いろいろありますが、そのどれにもあてはまらない場合があるのです。これも冷えが原因です。

よく赤ちゃんが寒そうだからと、ベビー服かなにかをたくさん着せて、下は半ズボンとかはだしにしている人がいますが、これは一番いけないのです。冷えているときは、下を温かくして、上だけ涼しくしてほしいと感じるのですから、それでご機嫌が悪くて泣くということなのです。

私の患者さんで外まわりの仕事をしている人がいて、赤ちゃんを下だけしっかり包んでやって、上は裸で一冬すごさせた人がいました。外へ出るときも、雪が降っていてもそれで通して、それでその子はかぜもひかずに丈夫なのです。もっとも北海道とか東北ではそういうわけにはいかないでしょうが、原理は頭寒足熱ということなのです。

赤ちゃんの場合は、まだ本能も大人ほど狂ってはいないので、すぐ冷えを自覚して泣いたりするということです。

(4)「冷え症」はなぜ女性に多いか

手足や下腹部が冷たく感じる、いわゆる「冷え症」は、以上のように体の「冷え」がとくに自覚される場合の症状名なのです。この「冷え症」は、一般的には女性特有のものとか、婦人病のある人だけのものと思われていますが、それがまちがいであることは、もうおわかりでしょう。「冷え症」は生活が乱れれば誰にでも起こるし、事実男性でも手足が冷たいと訴えて来院する人が結構います。ただし、女性の方が「冷え症」を訴える数が多いのは事実です。これはなぜでしょうか。

冷えによって血液の循環障害が起こると、俗にいう「ふるち」がたまった状態が随所に発生します。

そうなった血管には、新しい温かい血液（動脈血）が充分に送られてこないので、その部分の温度が下がり、冷たくなってくるのです。ことに手足は体積にくらべて表面積が大きいので体温の発散がはげしく、体幹（胴や頭）にくらべて早く冷たくなります。

手足の次に「冷え症」を感じることが多いのは、下腹部です。これは、頭や胴体は内臓がその活動にともなって発散する熱を受けるので冷たくなりにくいのに対して、下腹部には内臓が少ない上に、最大の内臓であり最大の温熱発生源である肝臓から離れていることが原因です。しかも、手足は始終動かされるので、筋肉の収縮・弛緩によって物理的に血液の循環が強制されますが、下腹部はあまりそういうことがないので、一度冷えるとそのためにさらに血のめぐりが悪くなり、ますます「ふるち」がたまりやすくなるという悪循環を起こしやすいといえます。

とくに女性の下腹部は、子宮・卵巣などがあり、男性の下腹部より臓器が多く構造が複雑なので、なお「ふるち」がたまりやすいのです。そして「冷え」で「ふるち」ができると性器の調子が落ち、それがまた「ふるち」を作るという悪循環も加わります。こうしたことから、「冷え症」は女性だけのものであるとか、婦人病のある人だけがなるというふうに誤解されてきたのです。

「冷え症」も併発症状ももとから断とう

「冷え症」と自分で感じるほどに「冷え」がひどくなっていれば、体のあちらこちらの血のめぐりが悪く、内臓の調子も落ちているので、機能の低下した内臓に関連した症状が併発することになります。「冷え症」の人が頭痛や肩こりを同時に訴えることが多いのは当然なのです。たとえば、手足は冷えるが顔はほてる、汗がでるなどの症状のある人は「冷えのぼせ」の状態にあり、足もとを温かくして上半身を涼しくしないと、くも膜下出血、脳梗塞、脳血栓、心筋梗塞、急性心不全などにおちいると、警告をだされているのです。

ですから、肩こりだけ、頭痛だけを治すために薬を飲むとか、鍼灸指圧その他各種の治療を受けるとかしても、また冷たい所を温めても、一時的に「いいような気がする」だけで、本当はよくなるわけではないのです。

恐ろしいのは、そういう一時的に楽になることだけを求めて、根本的な対策をしないでいる間も、病気は確実に進行してゆき、やがて「面倒なこと」になってくるのです。

根本的な対策とは、本書をよく読んで「冷えとり法」を全面的に実行することです。これで病気も治り、それにともなって「冷え症」その他も治ることになるのです。

4. 冷えは万病のもと――「こんなものが!?」と思っても

(1) 膝関節炎、股関節炎は糖尿病の前兆

冷えと食べすぎで循環障害が起こります。これで血管がやられるのはわかりやすい話ですが、実は

もっと怖いのは内臓もやられるということです。

冷え、食べすぎがあって、血液循環が悪くなる。すると動脈には充分な栄養とか酸素がこない。静脈には老廃物とか炭酸ガスが滞留してでていかない。すると、その内臓の細胞の機能が落ちてしまうのです。

落ちるというのは、ただ働きが落ちるだけでなく、余計な、異常な働きをするようになり、できてはいけないものができたりするのです。たとえばカルシウムの代謝異常があると、骨のほうへカルシウムを沈着させずに、尿管とか胆のうとかへカルシウムをだして結石になってしまう。それから糖の代謝異常だと、糖尿病になります。そういう機能の低下、機能異常が起こるということです。

そして、これが意外な病気の原因になるのです。

膝の痛みは、整形外科的にいうと膝関節炎という病名がつきます。これは、ひどくなると膝に水がたまってくる。さらには膝関節の骨頭が崩れて変形してきます。おしまいには骨を切除して、人工骨頭にするわけです。

これは私たちの言い方でいくと、実は冷え、食べすぎ、血液の循環不良からくる消化器の不調、ことに膵臓《すいぞう》の不調があるのです。ですから、膝関節炎は糖尿病の前兆ということができます。ただし、この段階では糖尿病としての自覚症状も他覚症状もまだでてこないという場合が多い。血糖値も正常だし、体がだるいとか、口が乾く、疲れやすいといった症状はまだでてこないのです。

図2 膵臓の不調を肩代わりする主な部位

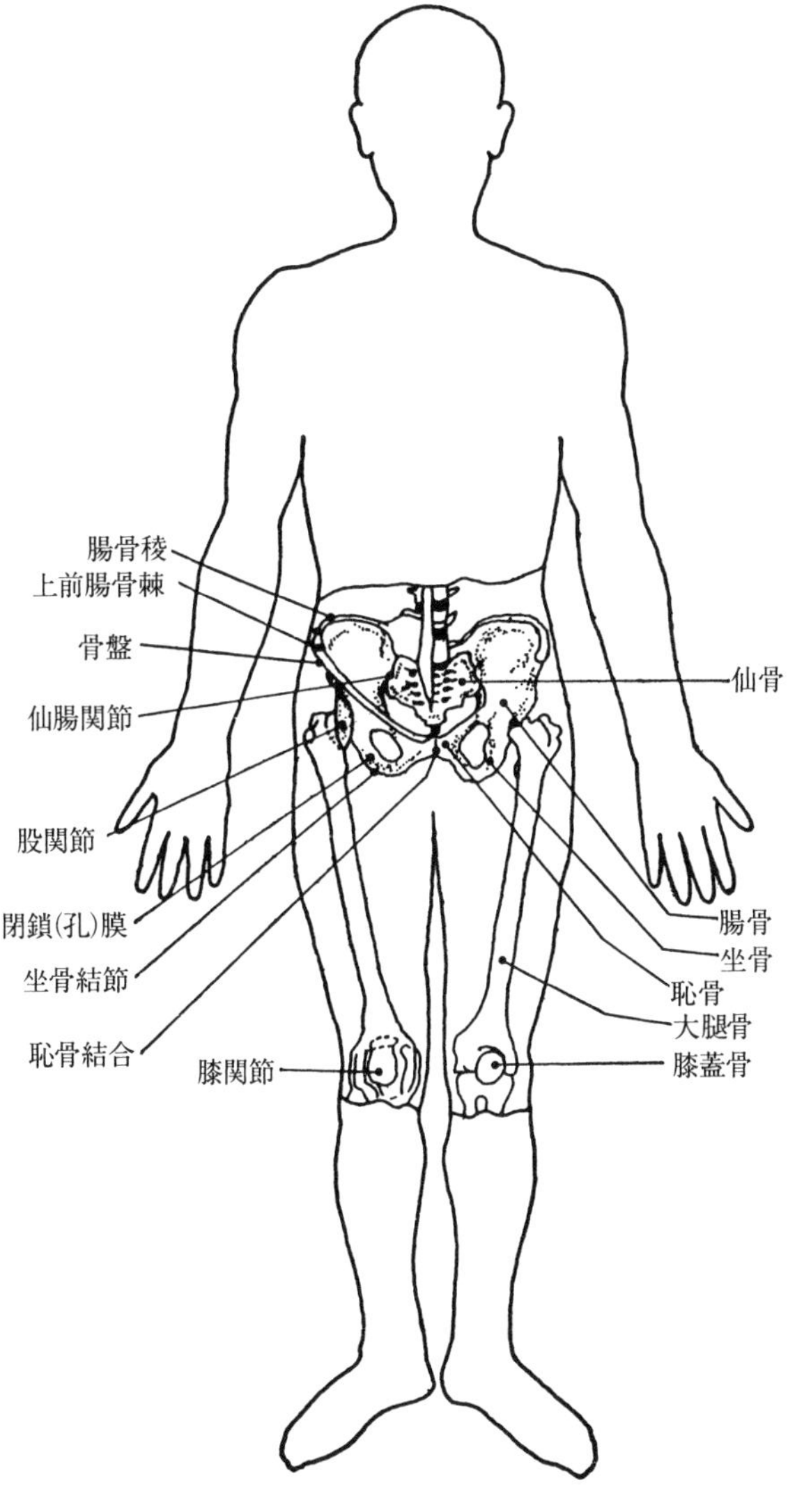

ところが、それをこちらで見ますと、もう明らかに脾臓が悪いというのがわかります。体形を見ますと、そういう人はたいてい小肥り、あるいは肥満体となっています。そして、顔に黄色い色がでています。漢方でいうと黄色は消化器の色なのです。

ですから、顔の色を見ますと、一応、五臓のうちのどれが悪いかというのがでているのです。

ではなぜ糖尿病としてでてこないで、膝の方が悪いのかという疑問がでてきますが、これは五臓の悪いのを、五臓六腑以外の所へ肩代わりさせているということなのです。それによってどこか内臓がひどくやられてしまって、だめになるのを防ぐ。将棋で言うと、大駒をとられる代わりに歩をだしているということですが、それが膝にでているのです。

つけ加えると、これは膝だけでなくて、大腿骨、大腿部、股関節、それから腸骨などが脾臓の肩代わりをする範囲に入ります。ですから、膝関節炎でなしに股関節炎の人、先天的に股関節の脱臼があるとか、ペルテス病といって股関節の骨が非常にもろくて、衝撃を与えるとよくないという病気などがありますが、全部そういうものが脾臓の病気に入ってきます。

これらの病気の根本には、消化器の不調があり、それの肩代わりとして、症状がでてきているということなのです。

では、その消化器はなぜ悪くなったかというと、それは冷えと食べすぎであるのです。

膝関節炎などについては、西洋医学でも東洋医学でもいろいろな原因が並べたてられているのですが、ものごとというものは、表面にでてくるのは結果であって、その原因があり、それはまたもう一つの原因の結果であるという、第一次の原因、第二次の原因がある。だから、第一の原因があって、結果がでて、それが第二次の原因となって、第三次の結果がでてきてという連鎖があるわけです。

膝関節炎とか、股関節炎は、冷えが第一の原因になっていて、それで内臓がやられ、そして一番最後の結果として起きているのです。

膝関節へでる場合、股関節へでる場合、人によっていろいろ差があるということはありますが、とにかく、原因は冷えであるということなのです。

(2) 痛風と膵臓の関係——最少抵抗部位と経絡

(1)で膵臓の不調が足で肩代わりされるということを述べましたが、なぜまず足にくるのかということについて説明しましょう。

痛風は、昔は老人の病気というイメージでしたが、最近では中年でも痛風で悩む人がいます。とくに足の拇趾《おやゆび》にくる場合が多いのですが、とにかく痛い。当人にとっては非常につらい病気です。

これも関節炎の一種で、つまり膵臓の病気なのです。動物性脂肪多食によるコレステロール過多のため、膵臓に炎症を起こすかわりに趾《あしゆび》の関節で炎症をおこすもののようです。

漢方では、人間の体はすべて経絡《けいらく》というものでつながっています。これはいわば、生命の気が流れる道すじのことです。その中で、足の蹄趾は脾臓《ひぞう》から始まる経絡の一番末端になっているのです。

脾臓は、西洋医学では何をしているかわからない内臓ということになっているのですが、漢方では膵臓を含むような形になっています。たとえば十二指腸へ膵液（消化液）をだす作用をつかさどる細胞は、脾のほうへ属しているということです。そこがおかしくなると、まず経絡の末端である足の蹄趾へ異常がでて、痛風の発作が起きるということなのです。

経絡の末端ということでは、手の拇指も脾の末端になります。ほかにも、たとえば唾液腺へでたり鼻や耳にくる場合もあります。どこへもでる可能性があるのですが、それがとくに蹄趾へでる場合が多いというのは、経絡でつながっている部位のうち、最も抵抗の弱いところ、よく使うところへでるからなのです。

ラテン語で「ロークス　ミノーリス　レジステンティエ」という言葉がありまして、ロークスは局部、ミノーリスは最少とか小さいという意味で、レジステンティエは抵抗ということです。日本語にすれば「最少抵抗部位」とでもいいましょうか。このように見た場合、足の蹄趾は常に体重がかかっている、寝ているとき以外休むひまがないという部位ですし、靴でしめつけられつづけているから他の部位よりも抵抗力が弱いので、まずここにくることが多いのがわかると思います。

裏がえしていえば、足の蹄趾以上に体のほかの部位を酷使しているような人は、普通なら痛風としてあらわれる症状が、肩にでたり肘にでたりするのです。職業病ということも、ここから考えると

表1　東洋医学による外邪の分類と侵されやすい部位

湿	消化器
暑(熱)	心臓
風	肝、胆
燥	呼吸器、大腸
寒	腎臓、膀胱

わかりやすくなります。

生活環境・職場環境にも注意

また生活環境、職場環境も当然影響を及ぼします。

東洋医学のほうでは「外邪」、外から入ってくる病気の邪という言い方をするのですが、その中に湿気があります。あまりじめじめしたところにいると、消化器がやられやすいのです。反対に、乾燥のひどい場合は呼吸器がやられます。だから、たとえば乾燥のひどいところにいて冷えがあると、肺に病気が起こりやすくなります。冬は寒くて空気が乾燥しているから、感冒は鼻（呼吸器の入口）かぜで始まり、ひどくなると肺炎になるのです。

これも患者さんに聞いてみると、当たることがありました。慢性胃炎の患者さんに、お宅はきっと湿気が多いでしょうと聞くと、鉄筋コンクリートのアパートに住んでいるという。あれは湿気が多いのです。

あるいは、木造に住んでいるという。しかしよくよく聞いてみると、水田だったところを埋め立てて間もなく、田んぼの水が上がってきて、床下はいつもベタベタしているという。ほかにも、近くに大きな川や池があって風向きの関係で湿気がよくくるとか、そういうことがあります。

そういう場合は、天気のいい日はできるだけ窓をあけ放して、湿気がでていくようにするとか、せめてもの工夫をしたいものです。また勤めのある人は、職場ですごす時間も相当なものになりますから、自分でできる工夫を積極的に考えてみてください。もちろん「冷え」と「食べすぎ」に注意した上でのことです。

(3) 帯状疱疹（ヘルペス）と肝臓の関係

帯状疱疹（ヘルペスの一種）で、何年も悩んでいる女性がいました。右の胸に、俗に日本で〝帯くさ〟という、帯をかけたような疱疹がでるのです。これは、ヘッド氏帯というものが体表にあって、脊髄の神経の支配する場所が帯状に体の表面に広がっているのです。だから、そこを支配する脊椎の神経が侵されると、その支配下の範囲内にぱっと疱疹がでるのです。

この女性はいろいろな皮膚科の治療を受けて、一応帯状疱疹そのものは消えかかっていたのです。ところが、これは消えたように見えても、ビリビリと痛むのです。根本的な治療をしない限り、ほとんど永久的といっていいくらい痛みは続きます。

この女性の場合は、背骨が曲がっていてコルセットをつけていました。見ると、九番目の胸椎が後ろへ曲がっているのです。背骨にはそれぞれ受け持っている内臓があって、受け持ちの内臓が悪いと歪んでくることがあるのです。内臓が悪くても背骨は曲がらないこともありますが、背骨が曲がっているときはその骨の受け持ちの内臓が悪いのです。その中で、九番目の胸椎は肝臓を受け持っています。ですから、肝臓が悪くて背骨が曲がり、背骨の中を走っている脊髄が侵されて、それが帯状疱疹となってでてきていたわけです。

皮膚科で外見だけきれいにしても、肝臓は悪いままです。帯状疱疹の痛みが消えないのは、こういう理由からです。

ですから、冷えと食べすぎの注意をしっかり守ると、肝臓が正常な状態に回復してきて、背骨の曲がりも消える。当然疱疹はなくなって痛みも消えるのです。三～四ヵ月で全快しました。それまでは背中は曲がっているし、第２章で述べるように肝臓が悪いということは腎臓もやられて疲れやすいということなので、ハンドバック一つ持って出歩くのも大儀だといっていたのが、コルセットもいらなくなって、両手に大きい荷物を下げて駅の階段をトコトコ昇れるようにさえなったのです。

冷えをためて内臓を悪くすると、全然関係のないように思えるところに病気があらわれるし、逆に万病の原因である冷えを治せば、どんなに苦労してもなくならなかった病苦がすっかり消えるのです。

(4)　ガンはなぜ起こるか

冷えと食べすぎがあると血液の循環障害が起こり、やがては内臓の機能低下を招くということはすでに述べました。

それがもっとひどくなると、細胞そのものが異常なものに変わってきます。それがガン細胞ということなのです。

漢方では、ガン（腫瘍）は気のもつれであるといいます。気のもつれというのは、くよくよする、イライラする、頭の中がごちゃごちゃであるということです。精神的に安定していないと、肉体的にもおかしくなるというとらえ方をします。

ツボでいいますと、気海というツボが三番目の腰椎の下にあります。ここが、人体の中の気のめぐりの交差点といったところです。ここをうまく処置してやると、気のもつれが多少ほぐれる。

乳ガンの患者さんの治療をしたときに見つけたのですが、この気海が足のほうにもきています。胃の筋のちょっと外側の、足首のところです。そこで手当てをすると、確かにガンが少し小さくなりました。うまく使えばいいと思いますが、その人の場合は精神的に安定しないもので、いくら治療しても賽の河原ですから、結局亡くなられました。

もちろん冷えに気をつけながら、気のもつれをほぐすよう心がけて、病院でも驚かれるぐらい見事にガンの消えた人もいます。

いろいろな治療法や薬剤、また煙草を控えるとか野菜を食べるなど、ガンの予防・治療については人類あげて試行錯誤中といったところですが、最終的な目標は、細胞がガン細胞に変異しないですむような体の状態を保つこと、そのために今まで全く見落とされてきたのが冷えであるということは、いくら強調しておいてもたりません。だからツボの効果に目を奪われることなく「冷えとり」に専念するほうが得策と言えましょう。

5. 症状の四つの意味

万病の原因には冷えがあること、しかし、冷えが即冷え症として自覚されるわけでは必ずしもないし、冷えが最も悪影響を及ぼしている内臓に、すぐ症状がでてくるわけでもないということは、おわかりかと思います。非常に複雑なのですが、例えば痛風は膵臓がやられないように蹈趾の関節が肩代わりしているというように、体が、内臓を保護して生きのびようとする、必死の姿としてでているのだと思えば、いやだとばかり考えがちな病気を見る目も変わってきます。ここで、症状の持つ意味についてまとめておきましょう。

(1) 警告としての症状

一つは、症状は病気であるぞという警告の意味を持っています。

ただ、この警告は、今までにも述べたように、胃が痛ければ胃が悪いという場合もあるが、そればかりでもない。消化器が悪いと膝が痛いとか、股関節の具合が悪いとか、あるいは足にケガをする、骨折をするといった場合もあります。そのほか鼠蹊ヘルニア（脱腸）になったり、すべて消化器が悪いという警告なので、注意しなければなりません。

(2) 肩代わりとしての症状

二番目には、今までにも述べてきたように肩代わりとしての意味があります。五臓六腑に病変が起きると生命に関わるので、そうなる手前で、ほかの手や足や目、鼻、耳などに病気を肩代わりさせる。将棋でいえば、大駒をとられる代わりに歩をだしている状態、そういう機能が体にはあるのです。たとえば鼻が悪いというのは、呼吸器と消化器が悪い。だから、私も公立病院にいたころは蓄膿症の人をだいぶ手術しましたが、手術直後はいいがまた悪くなるということが多く、ずいぶん悩みました。今にして思えば、あれは呼吸器と消化器を治せばよかったのです。今では、この考えで鼻の病気も中耳炎も、局所に触らないで治しています。

(3) 排毒作用（自然治癒）としての症状

三番目には、症状がでるのは排毒作用であるということ。内臓（五臓六腑）に溜まっている毒を体外に放りだして「治ってゆこう」とする自然治癒力の働きのあらわれが症状なのです。内臓の毒がなくなれば、当然「毒だし」もなくなります。つまり症状は消えるのであり、症状が消えれば体は正常な（健康な）状態になるわけです。

ですから、鼻汁がでるのは、消化器と呼吸器の毒をだして、呼吸器・消化器を治そうということなのです。

血がでる場合は、喀血なら呼吸器と腎臓が悪い。吐血なら、胃と腎臓が悪くてその毒をだしているということになるのです。鼻血は、肝臓と腎臓なのです。その毒を脳にまわして鼻からだしているということです。

ですから、でるものは止めてはいけないのです。吹き出物も肺などの毒をだして五臓六腑をきれいにしようという現れなのです。

でるというものは、すべてしっかりだしなさい。咳がでる。吹き出物がでる。汗がでる。うなり声がでる。欠伸がでる。でるものは全部。

だすのを積極的にやろうとすると、自分でできるのは咳払いと深呼吸くらいしかありません。深呼吸は、はたに迷惑もかからないし、しょっちゅうやるようにするといいのです。そのほか、でるものは無理に押さえてはいけない。

また、排毒とは逆に、毒が入ってくるのを防ぐ防毒作用という働きもあります。たとえば口内炎ができると、口の中は消化器に含まれるので、これは胃潰瘍・消化器潰瘍ができる代わりにできるのです。これは肩代わりです。と同時に、口内炎ができると、食べられなくなります。これは、消化器の具合が悪くて、仕事ができないから食べないでくれ、食べすぎの毒をこれ以上入れないでくれ、という信号でもあるのです。歯槽膿漏や歯痛も同じです。

ですから、これをむやみに薬で治めてしまうと、かえってよくない。またすぐ症状がでてくるし、無理に押さえこむと、大駒の内臓が直接やられてしまうこともある。そうではなくて、食べることを少しやめて新しい毒を入れないようにしていれば、体内の毒はでていってしまって、それで治るのですからあせらずに待つべきなのです。

(4) 鍛練としての症状

四番目には、症状には鍛練の意味があるということです。精神的にも、肉体的にも、ときどきはつらい目にあわないと心身共に弱くなってしまうので、鍛練としての苦痛があるということです。だから、何でもすぐにきれいにして楽にしてやるというのはよくないのです。七転八倒というのは苦痛におされてかえって悪くなりますから、それをある程度治めてやるのはいいのですが、基本的には、体の自然治癒力を発揮させるように努めて、医学的な治療はその手助けくらいにとどめておくべきなのです。

この点では医者は昔から堕落していて、すっと楽にしてやるのが良いことだとし、また、症状を消すことに力が入ってしまい、病気そのものを治すことがおろそかになってしまっています。

症状にはこれだけの意味があるのですから、怖がらないで、でるものは喜んでだして、それで苦痛にたえて、自分の生活のあやまりを反省するようにしていればいいのです。

第2章　内臓の病気は全身をめぐる
——五臓六腑と症状の関係

1. 循環障害の影響は神出鬼没

一般に、たとえば膝関節炎の場合は膝が悪いといわれます。しかし、これが膵臓の病気からきていることは第1章で述べました。

ですが、だからといって「じゃあ膵臓を治せばいいんだ」と早合点は禁物です。内臓は五臓六腑みなつながっています。一ヵ所だけ悪くてあとは健康、ということはありません。

冷えは体ぜんたいをめぐり、五臓六腑すべてに影響します。その中で、特に弱い内臓の機能が落ちて、その内臓と関係の深い部位に悪い症状がでてくるのです（最少抵抗部位の原則）。ですから、一番弱い内臓の負担は、ほかの内臓にも、多かれ少なかれかかっているのだ、ということを忘れないでください。

図3　五臓の親子（相生）関係

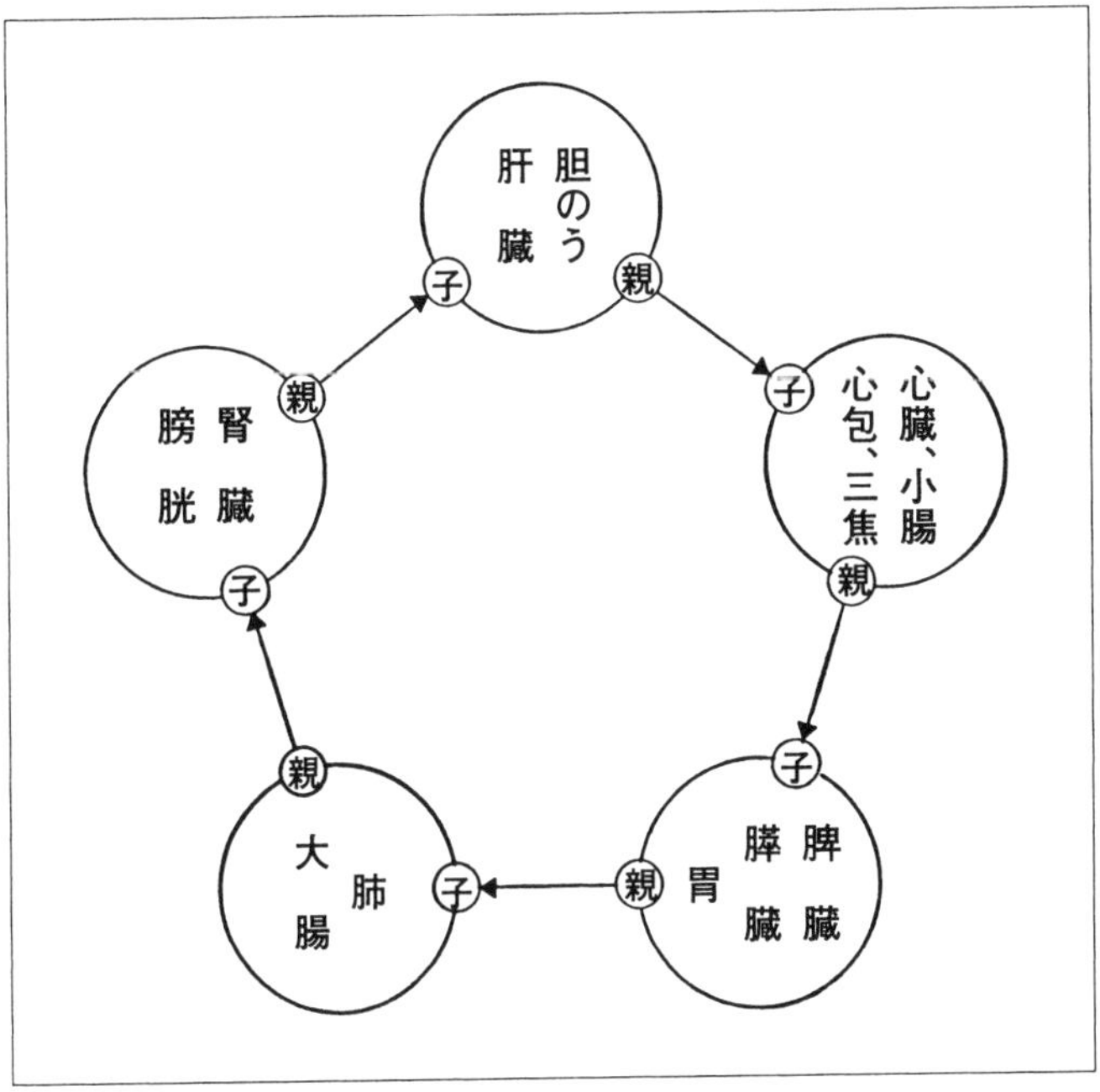

注　親は子を助け、その病毒を吸いとってやる。

(1) 肝臓が悪いとなぜ体がだるいか——五臓の親子関係

よく体がだるくてしょうがないという人がいます。こういう人は、実は肝臓が悪いのですが、肝機能検査をやっても何もでてこないということが多いのです。

これは漢方を勉強するとわかるのですが、五臓がおたがいに親子の関係にあるのです。その中で、肝臓は腎臓の子になっています。すると、人間と同じで、自分の具合の悪いのは親に助けてもらおうとする。肝臓の毒を腎臓に引き受けてもらうのです。

そうすると、こんどは腎臓が弱ってくる。腎臓は、普通西洋医学では血液中の老廃物を尿にして排泄するという機能しか考えられていないのですが、副腎皮質ホルモンを作る所でもある。これはストレスを受けとめるところであり、スタミナのもとであるといわれています。

ですから、肝臓が悪くなるとまず腎臓が弱ってくる。副腎皮質に影響がきてスタミナが落ちる、だから疲れやすい、体がだるいということになります。こういう場合には腎臓のことだけ考えていてもだめなのです。

なお、これもあとで詳しく述べますが、肝臓の毒が腎臓にいった場合は、検査では肝臓が悪いということはわからなくても、顔色でわかるのです。肝臓の場合は、顔に青い色と黒い色が出ます。顔色には、常に気をつけていたいものです。

(2) 肝臓が悪いとなぜ食欲が進むか――五臓の敵対関係

また、食欲が異常に昂進するのも、実は肝臓が悪いのが原因という場合もあります。これは、五臓の親子関係とは別に、敵対関係があって、そこからきているのです。この場合、肝臓は消化器を攻めることになっているのです。

肝臓が自分の具合の悪いのを消化器のほうへ押しつけてしまい、消化器のほうが弱ると、消化器が

図4　五臓の敵対（相克）関係（矢印が攻める方向）

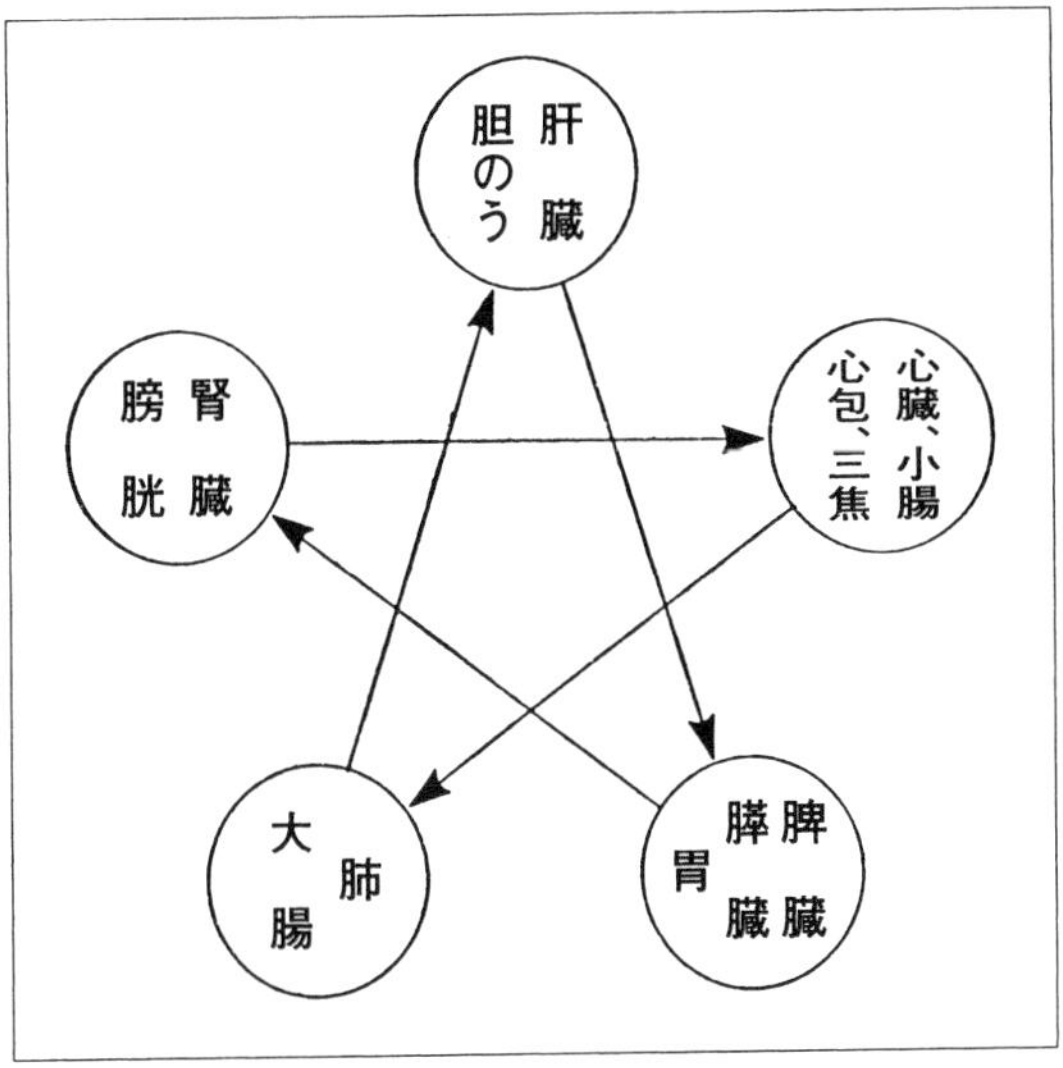

注　勢いの強い臓腑が相手を攻めて弱らせる。腎が心を攻めるほど強くなることはないと考えられているが、腎の中で副腎髄質は、強くなると痛みのある病気、炎症性の病気を起こし心臓を攻める。攻められた心臓は、心筋の機能に影響をうける。

頼りにするのは食べものですから、これに助けをもらうためにたくさん食べることになるのです。そういう人は、青と黄が混ざった顔色になります。

もっとも、うんと肝臓が悪くなってくると、今度は逆に肝臓が肺に攻められるということが起こってきます。この場合は肺の白と肝臓の青が混ざって、青白い顔になります。

以上はほんの一例ですが、循環障害の影響はまさに神出鬼没といえるでしょう。人間の体のしくみは非常に複雑で、しかも相互に関係しているので、局所だけに注目しているいわゆる対症療法では本当の健康は得られない、冷えと食べすぎをなくすことが健康への一番の近道だということなのです。

(3) リウマチと心臓の病気

内臓の一つの肝臓の具合が悪いと、五臓六腑全体に影響を及ぼしますし、第1章でみたように、意外な病気が内臓からきているので、内科や外科の、関係ないような病気をいくつも抱えている人も、病気の根は一つということになります。

リウマチで悩む人は非常に多いのですが、たとえば関節リウマチを例にとると、これは西洋医学ではよくわけがわからない。リウマチという言葉は、ギリシャ語で「流れる」という意味なのです。流転する、流れて移動するという。つまり、痛みがあちこちの関節に移動するので、そういう名がついたのです。

鍼灸の沢田健先生がおっしゃるには、これは心臓と小腸の病気だということです。確かに心臓が五臓の一つで、小腸は六腑のうちの心臓に対応する腑なのです。そして、「リウマチがおなかに入ったらおしまいだ」と世間ではいうのですが、つまり小腸の悪いのまでが表にでてきた場合は、もう末期だということなのです。そこまでいく前に、リウマチと心臓の病気がセットになって、心不全で死亡することもあります。

心臓の病気にもいろいろあって、一つは冠状血管（冠状動脈）が悪い場合があります。それが「冷え」のためにきゅっとけいれんして、時々痛くなって止まるのが狭心症です。また、血管の内腔が狭くなって、循環不全が持続的に、非常にたち悪く続く心筋梗塞であるとか、不整脈などがあります。

二つめは、心筋症とか、拡張性心筋障害とかいわれる、心臓の筋肉の具合が悪いという病気があります。

三つめは、弁膜がうまく締まらないとか、あるいは弁膜が充分開かないという、そういう弁膜の閉鎖不全か、あるいは狭窄もあります。

四つめは、右と左に心臓を分けている壁に穴があいてしまう中隔欠損という病気。それからもう一つは、心包《しんぽう》といって、心内膜とか、心臓のまわりにある心外膜の病気。

この五つあるわけです。これらのどれがあっても、リウマチと一緒にくるのです。

ですから、リウマチの軽いのがあって、心筋梗塞を起こすとか、逆に心筋梗塞が強くでていて後からリウマチの反応がでてくるという場合もあります。組み合わせはいろいろでてきます。それから、どちらか一方だけが現われて、他方は全然現われない場合もあります。

(4)　健康ならば細くて重い――プロポーション・体重・腎臓の関係

体調不良を訴えてきた女性がいました。どこが悪いというのではないが、体中がしんどくて動きにくいというのです。三〇歳前後で、非常にすらりとした、プロポーションのいい女性でした。

しかし、見ると顔色が真っ黒なのです。それですぐに、体調不良は腎臓がやられているせいだとわかりました。腎臓が悪いと黒い色が顔にでるのです。腎臓がやられていれば、(1)でも書いたように、当然副腎皮質が正常に機能しなくなり、疲れやすい、体がだるい、ということになります。この女性は腎臓が相当ひどい状態でしたが、冷えと食べすぎについての注意をしっかり守ったので、一〇日もしないうちに調子が上向いているのが自分でもわかるようになり、二ヵ月もするとすっかり元気になったのです。

すると面白いことに、二ヵ月目に体重を計ると、来院したときより一〇キロも増えているのです。しかも、すらりとしたプロポーションはもとのままです。普通は一〇キロも増えると、ウエストなどが相当太くなると思われるのですが、そうではないのです。

これはなぜかというと、実は一〇キロ増えたのは脂肪が増えたのではなく、腎臓が正常な状態に戻って、骨が重くなったからなのです。

東洋医学には「骨は腎に属す」という言葉があります。腎臓と骨は非常に関係が深いといわれているのです。西洋医学のほうでは、今ごろようやく腎臓と骨は関係があるらしいといわれ始めているのですが、東洋ではすでに二千年も前にいわれていたのです。

たとえば、西洋医学で最近いわれているのは、カドミウムが体内に入る量が多すぎると、骨の中のカルシウムが放りだされてカドミウムと入れ代わるというのです。それで骨がもろくなって折れやすくなる。これがイタイイタイ病のしくみなのだということです。

そして、そういう人の腎臓を調べると、副腎がカドミウムで相当やられているのです。だから、腎臓をやられるから骨が折れやすくなる、ということがいえます。

骨は竹の筒みたいになっていて、カルシウムが充分あれば、周りの固いところが、ずっと固く、厚くなるのです。そこがカドミウムに侵されるのがイタイイタイ病。一方、筒の中の空洞（骨髄腔）には脂肪がつまっていて、食べすぎをやると悪いコレステロールがどんどん増えて、骨の壁が薄くなってくる。ついには脂肪でいっぱいになって、内臓や血管や皮下へまわるのです。外見的に太るというのは、そういう脂肪があらわれている状態です。

ですから、食べすぎをやめて冷えに注意していると、いったん脂肪が減って体重が軽くなります。と同時に、腎臓の機能も正常になってくるので、カルシウムが順調に吸収されて、薄くなっていた骨の壁が厚くなりだします。骨というものは比重が大きくて、結構重いものですから、少し厚くなってもそれで体重が増えるのです。私のところにきた女性が、健康になるにつれて、すらりとしたプロポーションはそのままで体重が一〇キロも増えたのは、そういうわけだったのです。

肥満の時、何キロやせたと、体重のことばかり気にする人が多いですが、そうではなくて、太さだけ気にして、体重は気にしなくていいということがこの例でわかると思います。健康になれば、細くて重いということです。

図5　六臓六腑の時間

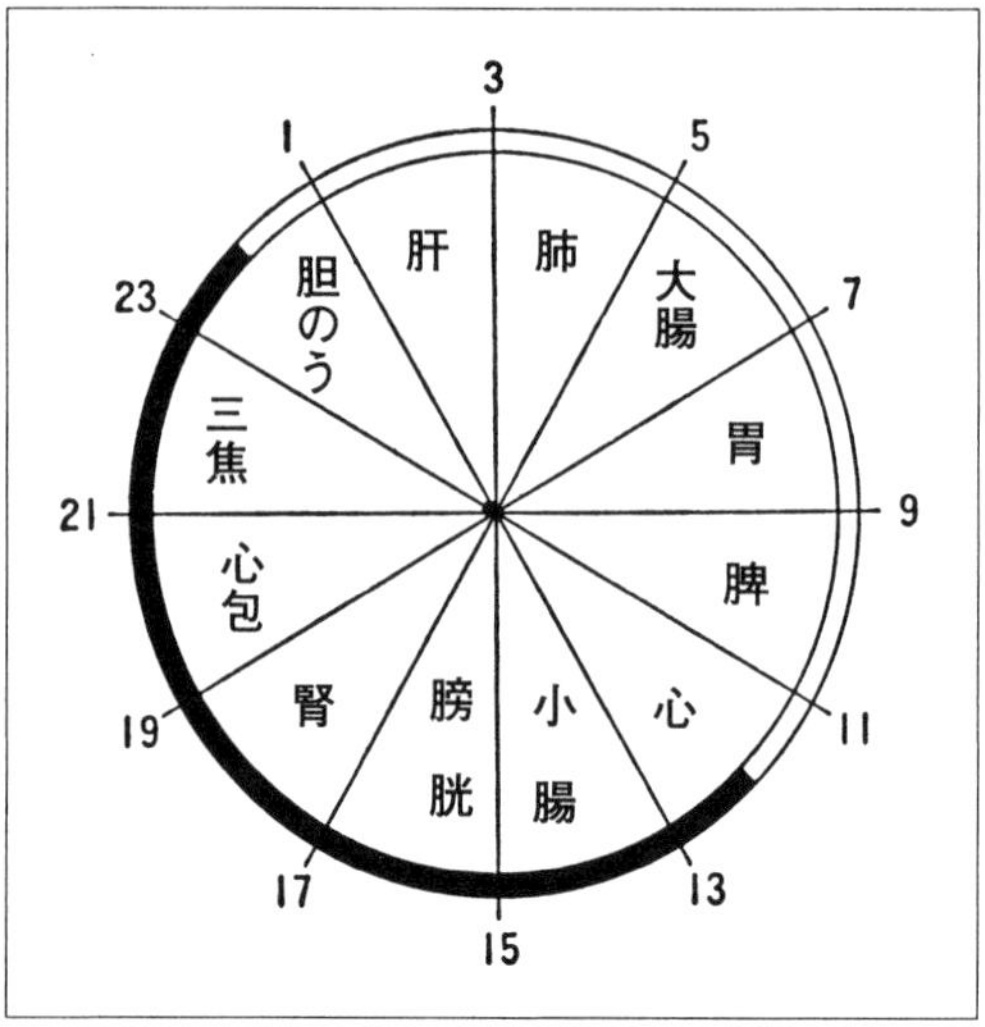

2. 朝、食欲のない子、夜中に目の覚める人——知っていますか内臓時計

現われている症状だけに気をとられていると、かえって自分のどこが悪いかを見失います。と同時に、ちょっと視点を変えると、体が助けを求めているサインを読みとることができるものです。「内臓時計」もその一つです。これは、内臓には時間があって、調子の悪いときはまず自分の時間に変調が起こるということです。

たとえば、肝臓ならば午前一時から三時が肝臓の時間で、ですから夜中に目が覚めてどうも具合が悪いなどという場合は、まず肝臓にきているのだということです。

面白いことに、その時間をずっと並べていくと、鍼灸でいう経絡、これは肺から始まるのですが、この経絡の走る順序とぴったり一致するのです。

一般には五臓六腑という言い方をしますが、実は心臓は心と心包に分かれているので六臓六腑なのです。これがそれぞれ二時間ずつ受けもって、二十四時間でひと回りするのです。

午前三時に肺から始まって、次が大腸。午前七時からは胃と脾になって、午前十一時までの四時間は消化器の時間になります。

よく、朝食べたくないとか、おなかの具合が悪いとか、そういう子がいます。あれは消化器の具合が悪いので食べたくないのです。そして、お昼近くなると、ケロッとして食べるわけです。だからお母さんが怒って、「あなた、学校へ行きたくないから食べれないなんていって。仮病なのね！」と責めるのですが、これは仮病ではないのです。消化器が悪いのです。それは内臓の時間、オルガンウール――ドイツ語で、オルガンは内臓、ウールは時計という意味で内臓時計。それを知っているとこれは納得がゆくことなのです。

3．色白だからと喜べない――顔色は健康のバロメーター

内臓時計以上に、自分の体のどこが悪いかがはっきりわかるのが、顔色です。

今までにもふれてきましたが、顔色を作る色には赤・青・白・黒・黄の五色があり、健康なときはすべての色が淡く混ざり合っていて、肌にはつやがあるのです。しかし内臓が悪いと、いくつかの色

がとくに強くでて、肌のつやはなくなります。この五色は五臓と対応していて、顔色でどこが悪いのかもわかるのです。

たとえば便秘で悩んで、繊維質のものをとるとか、冷たい水を飲むとか、塩水を飲むとか、下剤を使うとか、あの手この手を尽くしてもさっぱりよくならないという患者さんがたくさんきます。

便秘は、一般的には大腸の病気と考えられていて、それは当然そうなのですが、大腸は肺の腑ですから、こういう人は肺も悪いのです。肺が悪いということは、表を見ればわかるように顔色に白がでる。色白のきれいな娘さんが便秘で悩んでくるのですが、色白だからと喜んでばかりはいられないということです。

便秘に関していえば、これも一般的にはあまりいわれていないことですが、腹部内臓を包んでいる腹膜も悪いのです。腹膜には血管・神経が走っていて、いわば腹部内臓への補給網や通信網の役割を果たしていますから、そこに支障がくれば、当然末端の腹部内臓の機能は落ちます。たかが便秘といっても、これだけ体の具合が悪いということですから、大事に至る前に、食べものはもちろん、何より冷えに気をつけて、健康を回復するように努めなければなりません。

それから、よく酒飲みの人でいつも酒焼けの赤ら顔をしている人を見かけます。こういう人は、肝臓には誰もが注意しているのですが、顔が赤いということは心臓が悪いのです。ここまで気をつけている人はまずいません。

表2　顔色と内臓の関係

色	悪い内臓	その内臓の腑	多い病気
赤	心臓（循環器）	小腸	心臓疾患 リウマチ性疾患
白	肺（呼吸器）	大腸	潰瘍性疾患 便秘、皮膚病
青	肝臓	胆のう	肝炎 中枢神経系疾患
黄	胃（消化器）	脾	糖尿病 胃、十二指腸疾患
黒	腎臓	膀胱	腎不全、膀胱炎 婦人科疾患 前立腺肥大

これは、肝臓は具合が悪くなってくると消化器を攻める。すると消化器は攻撃にたえようとして食べる（だから酒好きの人には肥満ぎみの人が多いのです）。そして、消化器の親が心臓なので、心臓が消化器の毒を受けとって何とか助けようとする。その心臓を助けてくれるはずの肝臓は、酒にやられて心臓を助けることができないので、毒は心臓にたまりこんでしまう。このようにグルグルまわって心臓に毒がたまってくると、赤ら顔になるということなのです。

だから酒好きの人が、いくら肝臓に気をつけていても、思わぬ心臓発作で亡くなるということが起こるのです。これは、顔色の見方を知っていれば助かったのかもしれません。

顔色の出方というのは、具合の悪さ加減によってもちがうし、心臓なら心臓のどこが悪いかによってもちがうので、色調は千差万別です。これは見て覚えるしかないのですが、毎日自分の顔、家族の顔をよく見て、色調の変化に気をつけるようにしてください。体調がよくなれば、顔色はどんどん変わっていきます。

4. 出る毒はおさえるな――排毒作用は自然の治療

今まで述べてきたとおり、症状があっても悪いのは体の表面ではなく、内臓なのですから、薬などで安易に症状を止めてしまうのは、自分の体のどこが本当に悪いのか、わからなくしてしまうことになります。

しかも、症状は体が体内にたまった毒を外に出す排毒作用でもあるのですから、外見だけとりつくろっても、体内では病気がどんどん悪化する、ということにもなってしまいます。毒がでてしまえば症状も治まり、病気も治るのですから、症状を薬や治療でおさえるのは、どうしても必要な場合にのみすることにして、そうでない場合は「体が一所懸命治ろうとしているんだ」と、余裕をもって症状とつきあうようにしたいものです。

(1) ぜん息鎮静の強心剤は死の薬

一般的には、ぜん息は呼吸器の病気といわれています。確かにそうですが、さらに消化器と心臓が悪いのです。その三つがいっしょになって、ぜん息という形をとるのです。

実はぜん息という病気の本質は、体内の悪いもの、毒をだしたいのにうまくだせないという症状なのです。普通の呼吸困難は、息が吸えないのです。吸気性の呼吸困難というのが多い。しかし、ぜん息は呼気性の呼吸困難で、息が吐けなくて苦しいのです。

これはどういうことかというと、気管支の壁に筋肉と軟骨があって、軟骨のほうはいつも気管支を開こうとしている。それを筋肉が緩めたり締めたりして、呼吸の調整をしているのです。ところが、ぜん息の発作のときは、筋肉が締まりっぱなしになってしまって、息を吐けないのです。そうすると炭酸ガスその他の毒がだせない。それで苦しい。

ぜん息の患者さんは、発作がでる前に食べていることが多い。病院の当直の先生に聞いてみると、ぜん息の発作がでるのは、土曜、日曜と祝祭日の夜が多いということです。これは、休みの日にはごちそうを食べるので、普段でも毒がたまっているところへもってきて、さらに食べすぎて、消化器の毒をためこんで限度を超える。それをだそうとして、発作が起こるということなのです。

これも呼吸器がからんでいなければほかのかたちで毒がでるのですが、呼吸器がからむと息が吐けない、呼吸困難ということになって非常に苦しい。

実は、肺・大腸の悪い人は欲張りになるのです。あまりだしたくないという。それで毒までだしたがらないものだから、気管支の平滑筋が締まってでないようにしてしまうということです。

こうして毒をださないでいると、消化器の毒を心臓が肩代わりしようとする。強心剤を使うとぜん息の発作が治まるというのは、そういうことなのです。けれども、長期間強心剤に頼っていると、心臓の負担がたまってきて、おしまいには心臓がやられるのです。強心剤を使うようになるまでは、ぜん息では死なないことになっていました。苦しいながらも我慢していると、だんだん毒がでていってなんとかなったのです。そのぶん発作で苦しむ期間は長いのですが、すぐ楽になるからと強心剤を使うと、亡くなる人もでてくるのです。もう一〇年以上前に、イギリスではそれで四千人も死んだので、ぜん息には強心剤を使わないようにしようということがいわれているのです。

私のところにきたぜん息の患者さんにも、そういうことがありました。こちらで冷えと食べすぎに気をつけることでよくなって、それで通院をやめて、一年間ほどだったでしょうか。通院をやめてもこちらの注意を守っていればよかったのに、またもとの悪い生活に戻っていたのです。そして発作が再発しては強心剤に頼っていたのでとうとう心臓にきて、止まってしまった。大急ぎでカウンターショック（電気ショック）をやって、心臓はまた動くようになったのですが、しばらくの間、脳へ血がいかなかったので、脳細胞がやられて植物人間になってしまったのです。

こういうこともありますから、ぜん息には強心剤を使わない方がいいし、もともと冷えと食べすぎに気をつけていればいいのです。これを守っている人は皆、治っています。

(2) 子どもは排毒能力が強い――小児ぜん息・皮膚病・中耳炎は気にするな

鼻たれ小僧、耳だれ小僧とよくいうし、そのほかにも小児ぜん息や皮膚病にかかっている子どもは結構多く見うけられます。親にしてみれば心配でしょうが、子どものうちに何の病気もしないというのは、実はかえっておかしいのだと思わなければなりません。

人間は、一〇歳くらいまでは体内の毒をだす力が強いのです。ちょっと甘いものを食べたりすると敏感に反応して、その毒をすぐだそうとするのです。そうして、幼ない体を守っているのです。

ですから、胃や腎臓に毒がくると耳へいって、外耳炎、中耳炎になり耳だれがでます。呼吸器や消化器が悪いと、鼻にきて鼻たれ小僧になる。肺・肝臓が悪いと、皮膚からその毒をだそうとして湿疹やかぶれになる。ひどいものはアトピーになるという具合です。

これらは、原理としては体内の毒をだそうということですから、変な手当てをせずに放っておいて冷えと食べすぎ（とくに甘いものや添加物の入ったもの）に注意していればいいのです。毒がでてしまえば中はきれいになるので、自然に治るものです。もっとも、ふだんの生活が体を冷やすものだったり、しょっちゅう悪いものを食べていれば、あとからあとから毒が入ってくるので、いつまでたっても治りません。生活に気をつけて、あとは毒がでていくのに任せるのがいいのです。

ところが、表面だけ見てきれいにしようとすると、たとえば皮膚病は薬を塗れば症状は治まるけれども、毒が内臓に返っていって、そのままためこまれてしまうのです。そして一〇歳を過ぎると、体の中に毒がたまってもそれにたえようとする力がうんと強くなってきます。それで、小さいころはさんざんアレルギーや中耳炎を起こしていたのが、いつのまにか治まってしまったということが多いのです。しかしこれは決して治ったのではなく、外へでなくなっただけですから、実は体内で毒が蓄積されているのです。

厄年は体の毒の棚卸し

そのうちに、年をとってくると、毒にたえる力がまた弱くなってくるし、日常生活でどんどん毒を作ってゆくのでとうとう押さえきれなくなって一度にでてくることがあります。ちょうど毎日少しずつ借金して、それを何年かに一回ずつ返さなくてはいけないといったようなもので、女性ならば一九歳と三三歳、男性ならば二五歳と四二歳、その前後で体内にたまった毒の決算期がくるのです。いわゆる厄年がこれにあたります。

このときには当然体の調子が悪い。それにともなって感情的・精神的にも乱れが起こる。すると当然仕事もはかどらないし、対人関係もうまくいかない、ということで生活全般が乱れてくる。それを昔の人は厄年と呼んだのです。子どものうちは、多少見ばえが悪いと思っても、症状を無理に押さえるようなことをしないでおけば、あとになってつらい目にあうことがなくなるのです。

(3) アトピーは強い毒がでてゆくためのもの

アトピーは、そうした子どもがだそうとしている毒のうちでも、とくにひどい毒がでている場合の症状なのです。これは肺と肝臓の、とくにガンになりやすい毒をだそうとしているのです。

ですから、極端な例では、四つ五つの坊やがアトピーになって、薬を塗ってきれいになったのもつかの間、白血病になってしまったということもあります。

白血病というのは、白血球の腫瘍で、血球のガンなのです。そして、漢方でいうと肝臓は血をためておくところ、血液と非常に関係の深いところなので、その毒をだそうとしていたアトピーを押さえたら、白血病になってしまったということなのです。出口を止められたのです。いわばボイラーの蒸気が多くて、安全弁から逃げているのをふさげば、爆発するよりしかたないということなのです。

最近では、このアトピーを、自然食品などの食餌療法で治そうということがいわれています。悪くはないのですが、これだけでは治らない。というのは、一つは「冷え」の考えが抜けているということと、もう一つは、毒をだしてしまうという考えがないからです。新しい毒を入れないという意味では、食餌療法もよいのですが、そうしながら薬を塗って表面をきれいにしようとしたのでは、意味がないのです。

ですから、私はアトピーも含めて、皮膚病については、皮膚科の先生のいうことと反対のことをしなさいと指導します。

皮膚科の先生は洗ってはいけないというので、私はお風呂へ入って洗いなさいといいます。掻いてはいけないというので、かゆいときは掻きなさいと。かゆいのは、毒がでようとしているのに皮膚の出口が狭いので、掻いて広げてくださいという合図なのです。血がでても、ただれても、きれいにふきとりながら、どんどん掻けばいいのです。そして、薬は塗らないようにする。

だから、私のところでは、アトピーは難病のうちに入らないのです。皮膚科では治らないというのは常識だし、下手に手当てをすると肺ガン、肝臓ガンになる毒だから確かに軽い病気ではないのですが、治し方としてはそれほど苦労はしません。

中学生の女の子で、顔の皮膚が松の皮のようになって、お面をかぶったようになった子がきたことがありました。三年半くらい、あちこちへ行って、駄目だったというのです。それで、今までは掻いてはいけないといわれてがまんしていたのですが、私が掻いてもかまわないよといってやったのです。すると喜びまして、治療中でもボリボリ掻くようになりました。そして冷えと食べすぎにはしっかり注意していると、三~四ヵ月で治ってしまったのです。三年半損したといっていましたが、そういうことなのです。

皮膚からでる毒は、あらゆるところからでていますが、とくに性器の周囲、それから尾てい骨、仙骨のあたりと、足の裏と指の間からでる量が多いのです。ですから、あまり衣類（とくに化織の衣類）

でぎゅっと締めつけると出にくくなってよくないし、顔など目立つところから一度にでようとして、渋滞を起こし、にきびやただれやかさぶたがひどくなる、ということにもなります。

(4)　アレルギー性鼻炎の原因は？

最近は、春になると決まって、杉の花粉症に悩む人のニュースが報道されます。くしゃみと鼻水で外出できなくなるほどの人もいます。杉の花粉の季節でなくても、ダニやほこりに弱いというアレルギー性鼻炎に悩む人はずいぶん多いものです。

この鼻炎を含めアレルギーという現象の正体も、西洋医学ではまだ充分に解明されていませんが、ほかの病的現象と同様に内臓にたまった病毒を排出するための自然治癒力の働きの一部なのです。

体を冷やす食べもの（アレルギー体質を作る食べもの）の毒を常日頃ためこんでいる上に、冬の寒さで足もとが冷え、まちがった暖房法で足もとの冷えが増強されます。すると、体が我慢の限度を越えた、毒をださないともたない、ということになって、くしゃみ、鼻水、涙などの形でだしてくるのです。

毒のたまり方がひどいと冬の最中にも「かぜ」の形でくしゃみ、せき、鼻水、発熱によって毒をだし冷えを温めます。かぜをひかずにすんでも、春になると、東洋医学では春は「肝臓の季節」つまり解毒の季節とされているので、体の排毒機能が盛んになり、たまっている毒をだそうとします。そこへ杉の花粉などがきて、排毒作業開始の号令をかけるのです。

また、秋は「肺の季節」で、夏の終わりは「消化器の季節」ですから、肺、消化器の中の毒の排出が盛んになります。肺、消化器の毒は鼻、のどなどから排出されやすいので、秋にもアレルギー性鼻炎は起きやすいのです。

杉の花粉にしろ、ダニやほこりにしろ、アレルギー性鼻炎の人だけが吸っているわけではないのですから、これを除去しようとしか考えないのは、まちがった考え方です。

だすようにすれば、早くおさまります。そして新しく毒を作らぬよう冷えと食べすぎに気をつければ、毎年春や秋に悩まされる、ということはなくなります。

これ以外のことは、何をやっても一時的な効果しかないか、おしまいには効果がでなくさえなるものです。

アレルギー体質の人がアレルゲン（杉の花粉その他）を吸ったり食べたりすると、アレルギー反応が起こるのですから、アレルギー体質を治せば、問題は片づくのです。

アレルギー体質は、冷え（とくに冷やす食品による冷え）と食べすぎ、精神的ストレスが作るのですから、これを避ければよいのです。

アレルギー反応が起きた時は、毒がでて治るため、と承知して、いやがらずに積極的にだすことです。

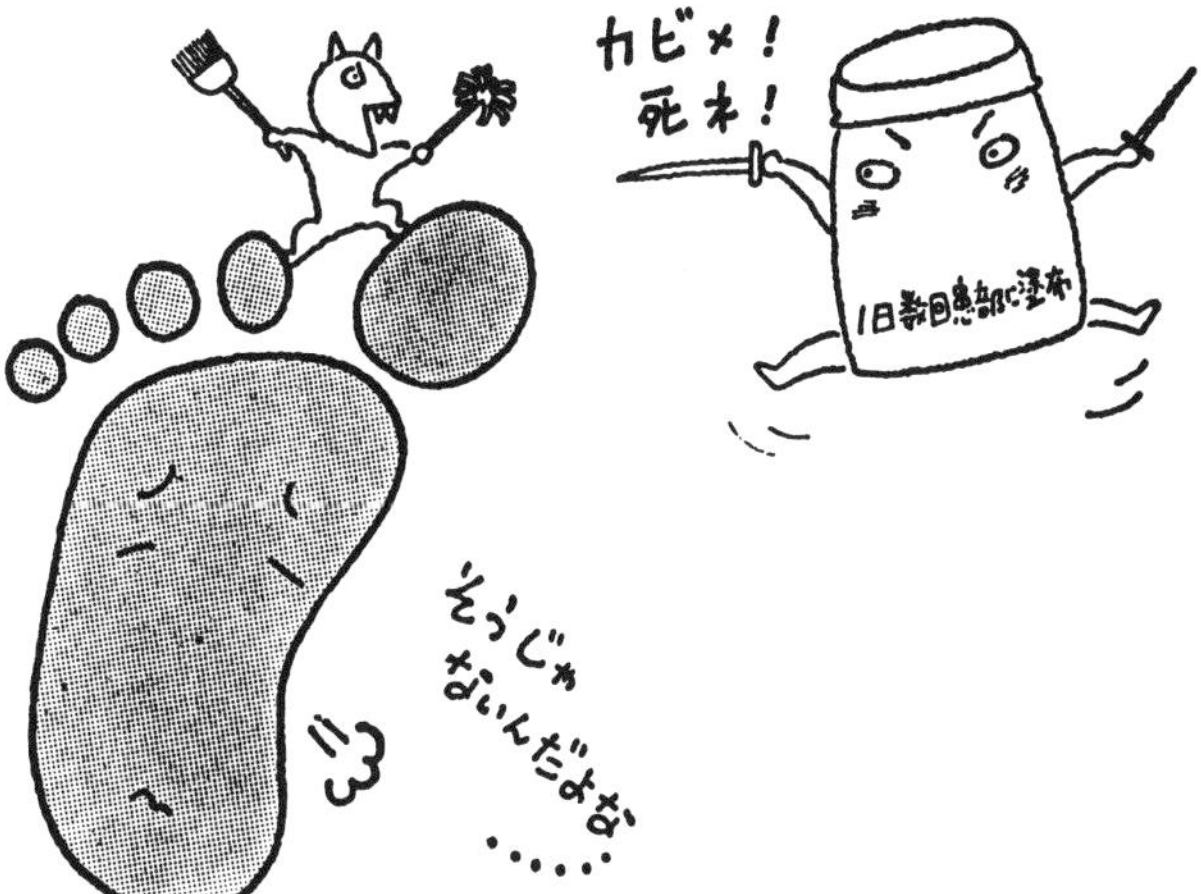

(5) 水虫はカビのせいじゃない——初めに病ありき

水虫も当人にとっては非常に気の滅入る病気です。これも皮膚病の一種ですが、一般には白癬菌というカビが原因とされて、そのカビを殺すための薬がいろいろと市販されています。しかし、水虫はカビのせいではないのです。

まず冷えと食べすぎがあって、循環障害などで内臓の具合が悪くなる。その毒をだそうとするのですが、足の指の間は毒の出方が多いところなのです。それで、順調に毒がでていればいいのですが、足を締めつけたり不潔にしたりして出口をふさいだり、また毒が多すぎて足の指の皮下で渋滞を起こしていると、そこが弱って湿疹やただれが起きやすくなります。そこに目をつけてカビが寄ってくるのです。

もともと白癬菌も含めて、バイ菌やカビというのは地上の掃除屋なのです。寿命がきて、不要になったものにとりついて、分解してもとに戻す役目をしているのです。こういう掃除屋がいないと、地球上はミイラだらけで、足の踏み場もないということになってしまうのです。だから、カビをむやみに殺そうというのはよくないし、そもそも健康であればカビは寄ってこないのです。

ですから水虫の場合は、指の間をしっかり洗って、それから市販されている絹か木綿の五本指の靴下をはくのです。これは、指の間にも布があって、皮膚と皮膚がぴったりくっつき毒の出口がふさがれる、ということがない。それに絹や木綿は化学繊維とちがって体からでる毒を吸いとってくれる作用があるので、よいのです。あとは薬を塗らない、かゆければ掻くということで、ほかの皮膚病と同じにしていればよいのです。

私のところでは、四〇代の主婦の方で、何年も水虫に悩んでいた人がいました。いろいろな治療をためしてみましたが、おしまいには白癬菌を殺す飲み薬を服用していたのです。ところがその薬が非常に強くて、副作用で胃をやられてしまった。

この人も、こちらで冷えと食べすぎに気をつけさせていましたら、半年ほどで水虫が消えたのです。ただこの人の場合は、水虫の原因となっていた毒は、胆のう、腎臓、心臓にたまる毒だったのです。ですから水虫で足は痛いし、腎臓がやられて副腎皮質の分泌がおかしくなって体がだるい、やる気がでないということだったので、水虫が消えてからもそのまま治療を続けました。そしてだんだんよくなってきて、家事もこまめにやるようになるし、休日には夫婦で山歩きしてということで、家の中も明るくなってきました。すると精神的にもよいほうへよいほうへとまわりだすのです。ということで、今は家中朗らかに暮らしています。

ぜん息にしろ、皮膚病にしろ、他の病気でも、症状は排毒作用であるということを忘れないで、早く毒を出すこと、「冷え」と「食べすぎ」に注意して新しい毒を体に入れないことに気をつければよいのです。

(6) 鼻をかんで鼻血を止める

鼻血がでると、誰でも鼻の孔にガーゼとかティシューをつめこんだり、「ぼんのくぼ」をたたいたり、毛を三本抜いたりして血を止めようとしますが、これはまちがいです。

鼻血は「冷え」、「食べすぎ」などでできた毒の血（ふるち）が脳の中に充満して、そのままでは「くも膜下出血」とか「脳卒中」となるのを避けるためにでるものですから、ボイラーの安全弁から蒸気がもれているのと同じことなのです。だから、止めるのは冒険だということになります。ある耳鼻咽喉科の教科書に「老人の鼻血は止めるな」と書いてあるのを見たことがあります。下手に止めると脳卒中を起こしかねないからです。

出るにまかせておくと、体が納得するだけ出れば自然に止まるのです。それまでは止血剤も降圧剤も効きません。血圧は下がっているのに、出血は続くのです。輸血や点滴をするとなおのこと出続けて、結局患者さんも医師も、くたびれもうけになる、という経験を、病院勤務中はくり返したものでした。

毒をだしているのだから、積極的にだしてやろう、と考えて強く鼻をかんでみると、二、三回は、たくさん血がでるのですが、その次は全然でません。ティシューを鼻の孔に突っ込んでみても真っ白なままなのです。切れた血管が二、三秒もしないうちに、ふさがっているのです。

でる物はすべて毒がでてゆくのだから、体のために良いのだ、と心得て乱暴なようでも積極的に出せば、早く治まるのです。不安を抱くとそれが新しい毒を作るので、いつまでも止まりません。世間の常識を無視して、しっかり毒をだすとよいと思います。

念のためにつけ加えますが、鼻血だけでなくて「せき」でも「痰」でも「鼻汁」でも、およそ「でる」というものは、すべて毒がでる、毒をだして治ろう、という体の働き（自然治癒力の働き）なのですから、わざとせきばらいするくらいにすればよいのです。夜、せきがでて困る、睡眠不足になるなどといっていやがらずに、積極的にだせば早くおさまるし、睡眠不足にもなりません。

第3章　不健康な時代の心と体

1．心の乱れが冷えを呼ぶ

今まで冷えが病気の一番の原因だといってきましたが、実はもうひとつ、その冷えの原因があって、心の乱れが冷えをよぶのです。

自分勝手に、自分本位にものごとを考えると、何事も思い通りになりません。麻雀だって、相手は三人しかいないのに、自分の思い通りにはならないのですから、日常生活が思い通りにならないのは当然なのです。

それなのに、自分本位で、我執が強いということになると、いつもイライラ、クヨクヨ、ハラハラするということで、感情が波立てば当然頭に血が昇ることになります。そうすると足もとが冷えて血管が縮む、循環不全になるということです。ですから、自分の思う通りにしたいとか、自分だけ楽したいと考えていると、かえって災難がふりかかってくることになるのです。そうするとなおのことイライラ、クヨクヨが強くなる、という悪循環におちいることになります。

また、心が歪んでくると、足もとを冷やしたくなるということもあります。これは、第1章で説明してありますが、心が歪んで「冷え」が発生すると、自然治癒力がそこなわれ感覚が狂ったうえに健康のためによくないことが好きになるからです。

そしてもうひとつ重要なことは、心の乱れ方によって、どの内臓が主に病むかが、ちがうということです。我執は大きく四つに分かれて、傲慢、冷酷、利己、強欲と呼ばれるのですが、それぞれに対応する内臓があるのです。

(1) 傲　慢

傲慢とは、いばり返っているということです。人を見下すということですし、人に見下されたくないと、見栄をはったりするのも傲慢なのです。「恥ずかしい」といったりするのも、傲慢のうちに入ります。こんな格好していると恥ずかしい、というのは、人に見下されるのがいやだということですから。

また、感謝しないというのも傲慢です。あの人が私にこれくらいのことをするのはあたりまえ、嫁は姑につかえるのがあたりまえ、子が親につくすのはあたりまえ、というのは傲慢のうちに入ります。

卑屈は裏返しの傲慢です。強い者には「ご無理ごもっとも」とつき従い、弱い者には、いばり、いじめる「強きを助け弱きを挫く」という「逆さ次郎長」が多く見られますが、こういう人を見ていると傲慢と卑屈は表裏一体ということがわかります。

傲慢である場合は、肝臓、胆のう系統の血管がよく縮んでそこの病気になりやすいのです。

(2) 冷　酷

冷酷というのは、冷たい、自分の都合しか考えない、他人に対する思いやりがないということです。これは、心臓、血管系統が悪くなりやすいのです。

心臓の病気といってもいろいろあって、そのうちで心臓の筋肉が悪い場合がありますが、これは心電図などではよほど重症にならないとでてきません。まずどこにでるかというと、結石になってでてくるのです。

これは最新の分子生化学の研究でいわれていることですが、筋肉の異常というのは、カルシウムイオンの代謝異常が重要な部分を占めているらしいというのです。つまり心筋内でうまくカルシウムイオンが働かないで、他のところで余計にでてしまう。骨の中にカルシウムがたまるのならいいのですが、腎臓や尿管や唾液腺に結石ができてしまうのです。

これが、まず心臓が悪くて、あと腎臓が悪くて腎臓結石になるといったことは、今の西洋医学では考えられていません。ですから、結石を切り取ってはまたでてくるという、イタチごっこをくり返すことになります。そういう人は、心臓が悪いのだということと、自分が人に対して冷酷でないかどうかをよく反省する必要があるのです。

(3) 利己

利己というのは、わが身の安心、安全、安楽だけを求めるということです。これは、非常に無精になるのです。安楽でいたい、動くのがいやだということですから。

そして、少しでも空腹になると、すぐ「ひもじい」と感じるのです。それですぐ食べる。だから、利己の人は食べすぎになりやすく、そのため消化器を悪くしやすいのです。

消化器を悪くするほかに、当然食べすぎで肥満の人が多い。それでやせるためにジョギングをしたりエアロビクスをやる人がいるのですが、結局これも利己的に、自分のためにやるので、お金と時間ばかりかかって効果はあまりでないということが多いのです。それよりも、主婦の方でしたら、家事をこまめにやるとか、そうして体を動かしたほうがよっぽど効果的だし、家の中もきれいになって一石二鳥も三鳥もあることになります。

(4) 強欲

強欲というのは、欲が深い。お金やものをためたがるというのはわかりやすいのですが、そのほかにも、自分のしている努力や能力以上のものを欲しがるということも含まれます。自分は怠けているくせに、子どもはどうしてもいい学校へ入れたいとか、そういうことです。こういう人は肺、大腸が悪くなりやすいのです。

漢方では、粘膜や皮膚も肺のうちに含まれます。ですから皮膚病や潰瘍性の病気も肺の病気のうちです。あと、前にも述べましたが、強欲だと大腸が大便までもだすのをいやがって便秘になりやすいし、肺が病毒をだしたがらなくなって、ぜん息になるということなのです。こういうのはすべて強欲のうちに入ります。

我執は以上四つに大きく分けられるのですが、利己なら利己だけという人はいません。程度の差はあっても、誰でも四種類の我執をすべて持っているのです。ただ、人によってとくに傲慢が強いとか冷酷が強いとかの差はあるので、その順番の組み合わせと、我執の強さの程度によって、かかる病気は四百四病といわれるように多様になるのです。しかし、いずれにしても、心の乱れが冷えを呼び、冷えが万病の原因になるのですから、心を落ち着けて、冷えと食べすぎない生活を心がけるのが肝心ということになるのです。

右の四つの我執のどれでも、ある水準以上にひどくなると腎臓や膀胱が病みます。そしてさらにひどくなると体のどこかに腫瘍が発生することになります。

2. 心も体も治すには

(1) 悪循環を冷えとりで断つ

心の乱れが冷えを呼び、病気を起こします。病気になると気持ちも滅入ってくるし、体が冷えるようなことをしたくなるとか、食べたくなるとか、そういった本能（自然良能）の狂いもでてきて、悪循環になります。健康になるには、この悪循環をどこかで断たなければなりません。

ただ、それは一人の力ではなかなかできないもので、その手助けをするのが医者なのです。医者は病気を全部治してしまわないで、ある程度のところまでは治療をして、あとは患者さんが自分自身でできるだけのことをする、というのがあるべき医者と患者さんの関係であって、治療だけに頼っていたのでは、本当の治癒は望めないのです。

そして、患者さんが自分で努力するのに一番都合のいいのが、冷えと食べすぎをなくす、ということなのです。

本来ならば、病気の一番の原因である心の乱れを治すべきなのですが、心がけを変えるというのは非常に難しいことです。具体的に、病気がよくなってくることがあれば、それまでの自分の生活、心がけがよくなかったということも納得できるので、まず冷えと食べすぎのところで悪循環を断つ、ということです。これは非常に具体的でわかりやすく、めんどうな理屈もなくて誰でもできるということなので、都合がいいのです。

(2) 快方にむかうときの症状は心配ない――瞑眩《めんげん》について

ただ、「冷えとり」をしていれば順調に治るということであればいいのですが、そううまくいかないことがあります。瞑眩《めんげん》という現象があるのです。これは、快方にむかうときに、より強く症状がでることがある、ということなのです。

漢方には、新旧二つの流派があるのですが、そのふるいほうの流派では、病気は毒をだせばいいということで、汗吐下《かんとげ》という言い方をします。つまり、病気の毒が表面にあるときは汗にしてだす、中ほどへ浸みこんでいるときは吐かせてだす、深い所へいったときは下痢にしてだすとよいというのです。治療をしていると、わあっと下痢をして驚くようなことがあるのですが、これは病毒がでていったということで、これが瞑眩なのです。

これは、病気で本能が狂って毒を出す能力が鈍くなっていたのが、治療することでだんだん正常になり、病毒に対して敏感になるので起こるのです。ですから、足もとの冷えを感じるようになって、

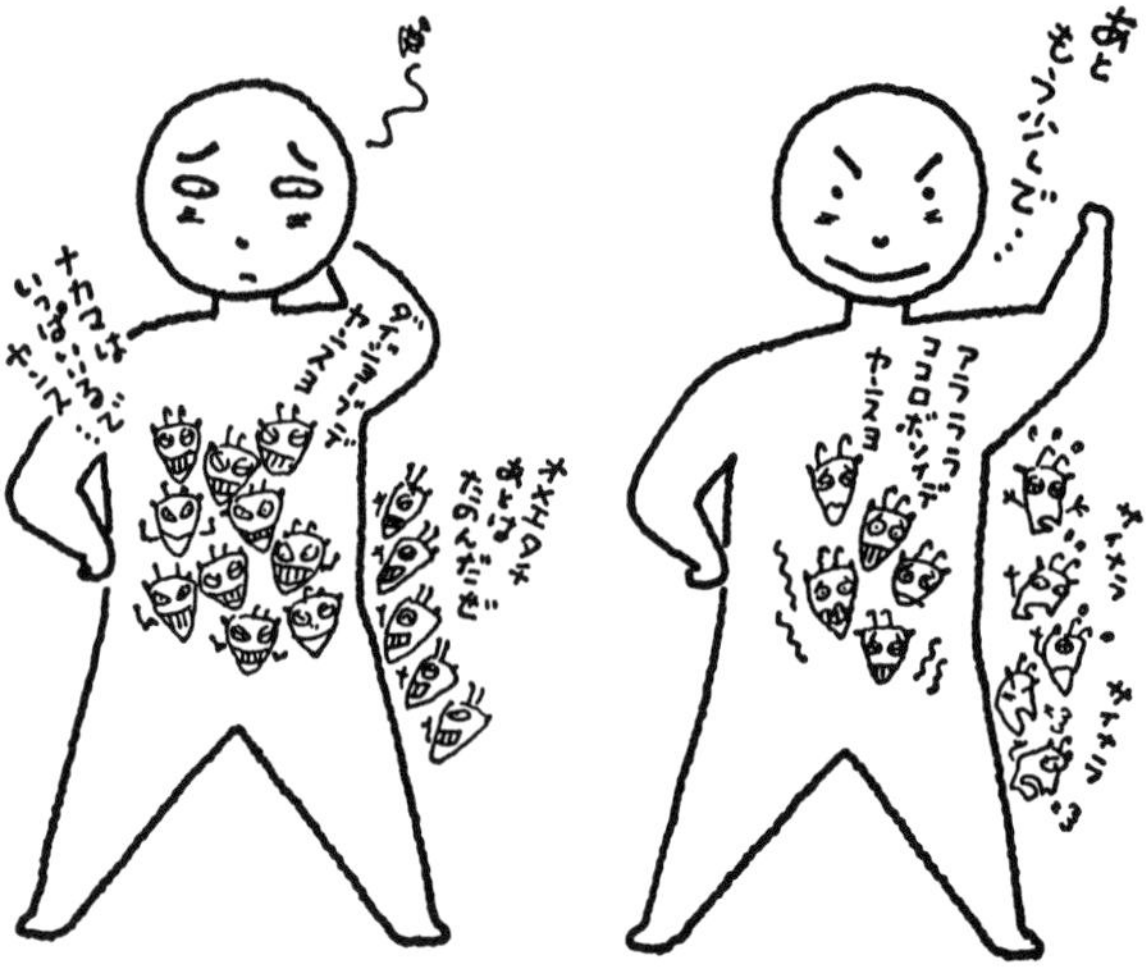

いくら靴下をはいても寒いというようになったり、ちょっと食べすぎるとすぐに胃が痛くなったり肩がこったり吐き気がする、という状態になるのです。血がでることもあります。それまで具合が悪くて喀血していた人などは、毒を血でだすというルートができているので、新しく入ってきた毒をすぐだそうとして出血するのです。

これは、一見、病気がひどくなったようにも見えますが、治っていくときの状態だから恐くはないものです。

たとえば、体内に毒が一〇あって満杯であるとすると、毒がさらに五増えれば体内にたまることができないで、その分だけ症状としてでてきます。一方、体内に一〇あった毒のうち、五が排出されれば、症状としては毒が一五あるときと同じですが、体内の毒は五に減っている、それだけきれいになって、あとの五の毒をだしてしまえばすっかり治るという状態なのです。

ですから、うわべだけの症状は同じでも、病気が進行している場合と、快方へ向かっている場合とがあるのです。この場合の見分け方としては、まず毒がありすぎて症状になるときには、本人に重症感があり、体の具合が非常に悪いと感じられるのに対して、快方に向かっているときならば、外見の症状は派手でも本人はわりあい平気で、毎日の生活はちゃんとできる、というちがいがあります。

また、顔色にもちがいがでます。悪化しているときは赤でも黒でも顔色が濃くて、ツヤがない。治りつつあるときは、色が薄くなって、ツヤがでてくる。ときに、快方に向かっていても当人や家族が症状の派手さに驚き、これは悪化していると思いこんだせいで重症感があるという場合もあるのですが、そういうときでも顔色はよくなっているので、識別はできます。瞑眩にまどわされずに、しっかり養生を続けるようにしてください。

瞑眩は不充分な「冷えとり」でも起こります。また、「早く治りたい」「苦痛はイヤだ」「これで本当に治るのか?」などという焦り、不安、迷いなどがあると逆に激しい苦痛を伴う形で瞑眩が長く続くことが多く、「まちがった生活をしてきたのだから、これくらいの苦痛は罰として受けるべきだ」と素直に「冷えとり」をしていると、割に軽く短期間に終わることが多いようです。それは不安、迷いなどの精神的ストレスが新しく「冷え」を作り毒を生みだすからです。

3. 健康のめやす十四ヵ条——冷えをなくして心と体を健やかに

では、いったいどういう状態ならば、健康であるといえるのでしょうか。今まで述べてきたようにただ症状が少ないだけでは健康とはいえないのです。以下健康のめやすを十四ヵ条に分けて掲げておきますので、自分はどうであるか、また健康になりつつあるのかどうかを、確認する参考としてください。

① 顔色は薄く、ツヤがある

第2章で述べたように、顔色には赤・白・青・黄・黒の五色があり、病気のときにはそれらの色が濃くでてきます。

反対に、健康なときにはそれらの五色がおよそ平均して、しかも淡く散っている。そしてツヤがあるということなのです。

かぐや姫の話がありますが、小さなかぐや姫は非常に体が丈夫だったので、肌の色ツヤがよかった、それで竹の中にいても外から見えるほどに光り輝いていた、そういうことをあの説話の作者がいいたかったのではないかと私は思っています。衣通姫《そとおり》もそうです。その名の通り、着物を通して肌の光が見えたというのでしょう。昔は、肌のツヤがある、健康であるということが、美人の必要条件だったのです。今のように美容と健康を分けてはいけないということです。

② シミ・ホクロ・魚の目がない

そして、シミ・ホクロ・魚の目などがなくなります。これらもすべて、病気があるという警告であり、内臓の肩代わりであり、排毒作用なのです。健康になれば、こういうものは少なくなります。

③ 髪がはえ、白髪も黒くなる

また、髪がはえてきて、若はげというのはもちろんなくなるし、お年寄りでも薄かった頭髪が濃くなってきます。若はげというのは、老化現象が早くやってきたということなので、健康になれば老化現象は遠のくのです。

ですから、白髪も黒くなります。若白髪はもちろんなくなるし、私の母親は今九〇歳ですが、八割がた白髪だったのが、治療をしていたら今では八割がた黒いという状態になっています。ついでにいえば、女性が気にする小じわも消えます。ですから、美容院などへいくと髪も肌もほめられるのです。「きれいな肌をして、いい髪をしていらっしゃる。何をつけているのですか」ときかれる。しかし、余計なものをつけたりしていないから、かえっていいのだということです。

④ 疲れない、回復が早い

それから、あまり疲れなくなります。疲れても回復が早いので、一晩寝れば治ります。これは五〇歳でも六〇歳でもそうなります。

⑤ 心がしっとりとおだやかになる

心も落ち着いて、しっとりとした、おだやかな状態になります。やさしい心持ちになるし、一人でいてもあまり寂しいと思いません。そして、欲望とか本能に振りまわされることがなくなります。

⑥ 何を食べていいかがわかる

だから、ごちそうを食べたいとか、珍しいものを食べたいとか、そういう気持ちが起きなくなる。そういうものはあればいいし、なければないでいいと思えるようになります。好き嫌いもあまりなくなるし、そしてたくさん食べたいということが少なくなる。食べていて、これ以上は食べすぎになるというところまでくると、自然に食欲がなくなるのです。もう食べたくないと思うのです。

これがもっといい状態になると、今は何を食べたらいいかということもわかるようになるのです。もちろん化学調味料をたくさん使ったものや、加工食品は食べたくなくなるし、薄味が好きになってきます。さらに、たとえば同じイチゴでも、皿の上に盛ってあるうち、どれがおいしくてどれがまずいかということまで、直感的にわかることもあるのです。

もちろん、よくないものでも、つきあいであるとか、それしかないということで食べなければならないことはあるのですが、自分で悪いものを食べていることがわかる、毒にはすぐでていってもらおうという気持ちで食べることができると、わりにあとのややこしい作用はでてこないのです。

⑦　化繊を身につけなくなる

衣類の点でも、化繊のものを敬遠するようになります。自然のものから遠ざかるほど、体によくない、冷やすものになります。食べものでも衣類でも、そういうことが直感的にわかって、悪いものは避けるようになるのです。

⑧　息が深くなる

そして、息のしかたが深くなってきます。おなかで息をするようになる。腹式呼吸というのはいいのです。心が落ち着くし、思慮も深くなる。現代人はたいてい胸式呼吸だし、ひどい状態のときは肩で息をしていることさえあります。これではいけないのです。

⑨　こまめに動くようになる

おっくうであるということがなくなり、不精をやめて、こまめに動くようになります。よく気が利くようになるのです。

⑩　睡眠・食事・排便にクヨクヨしなくなる

睡眠についても、食事と同じで、あまり気にしなくなります。八時間寝ないといけないとか、ぐっすり寝ないといけないというのがなくなって、寝れるときに寝ればいいし、忙しいときは寝なくても眠くならない、疲れないということです。

排便・排尿についても、神経質に三日でない、四日でないということを気にするのではなくて、でるときにでる、三日目にでてもそれですっきりすればいい、と思えるようになります。

便秘については、東洋医学のほうでは、宿便というものがたまっている状態ととらえますので、毎日便通があってもすっきりしない、宿便が残っているということであれば便秘であるし、五日に一度でもすっきりする、宿便が残らないということであれば、便秘ではないのです。冷えと食べすぎがなくなって健康になれば当然宿便はできませんから、排便にクヨクヨすることもなくなります。

⑪ 暑い・寒い・空腹が苦痛でなくなる

暑い、寒い、空腹といったことがあまり苦痛でなくなるということがあります。

暑い、寒い、空腹であるということはわかるのです。ただ、そのために具合が悪いとか、不快であるということがなくなるのです。だから寒いと冷たいは別であるし、暑いと暑苦しい、空腹と「ひもじい」ということはちがうということです。

自分でやってみたのですが、冬の真夜中にお風呂に入って、腰までつかって上半身は出していると冷たい風がスースーとくるのはわかるのです。しかし、それで風邪をひくわけでもないし、寒気がするというのでもないのです。

⑫ 体臭などが淡くなる

口臭、足臭、腋臭などの体臭が淡くなり、オナラの匂いも淡くなります。

⑬ フケ、垢が減り肌着の汚れが少なくなる

⑭ 虫さされ、ケガがなくなってくる

女性の健康状態

右の一般的な健康状態の改善のほかに、生理不順、生理痛、不妊、異常妊娠（つわり、逆児、流早産など）がなくなり、お産は無痛で短時間に終わります（高齢初産の場合でも）。更年期障害がなくなります。

こうしたことがわかるようになってくると、だいぶ健康であるといえるのです。

西洋医学・漢方・食養・ヨガなどについて

西洋医学は、私はよく批判するのですが、いちおう急場しのぎの意味はあるのです。症状がひどくて危ないというときは、抗生物質を使うのもいいのです。

ただ、たとえば抗生物質を使うときでも、そうしながら冷えと食べすぎに気をつけていないと、体がバイ菌に侵される状態そのものが治りません。すると菌交代現象ということが起こります。これは、抗生物質である特定のバイ菌は殺せるのですが、体は弱ったままなので、今度は別のバイ菌に侵されるという現象です。するとそのバイ菌に効く抗生物質を使う。また別のバイ菌がついてくる、ということで、きりがないのです。

私たちが学生のころ、これは病原性がないとか、これは弱いといわれていたバイ菌が、今ごろ

病原菌として治療の対象になっているのです。しかも、カビまで病原とされるようになっています。昔は、西洋医学でもカビが原因の病気とされるのは水虫くらいだったのですが（それも体の衰弱が原因で、カビのせいではないことは述べました）、近ごろは肺炎の原因の一つにまでカビが数えられているのです。これは、薬で菌を殺すことしか考えなかったために、医学が自分の手で次々と病気の原因を作り出しているのです。

西洋医学への反省も、最近はずいぶん一般的に広まってきて、漢方ブームなどともいわれます。漢方は、古方派でいう汗、吐、下で病毒をだすという考え方は賛成できるし、『黄帝内経』という古典には各季節のすごし方なども書いてあり、採用していい点はたくさんあります。漢方薬にしても、使い方さえまちがえなければ抗生物質のような副作用はないので、使ってもかまいません。しかし、漢方も全面的にいいということはちょっといえないし、冷えと心の問題が抜けていると、どんな治療も根本的なものにはならないのです。医療を病気を治すものとしてだけ見るのではなく、健康な状態を保つための方法として見ないと、いつまでも病気と治療のイタチごっこが続いてしまうのです。

漢方以外にも、カイロプラクティック（整体）や磯谷《いそがい》療法、真向《まっこう》療法、気功など様ざまな療法がありますが、すべて採用できる部分は採用しながら、冷えと食べすぎの注意を基本とすることが必要です。桜沢式をはじめとするいろんな食養法も、それだけでなく、冷えへの注意をしながらならば、より万全なものになるのです。

ヨガにも同じことがいえます。あるヨガ団体顧問の先生と親しいのですが、その先生も現在のヨガ団体のあり方には批判的なのです。というのも、最近のヨガのインストラクターたちは、わりと自分のことばかり考えて、心の問題ができていない人が多いのだそうです。そういうことで非常にご不満なのです。

古代インドから伝わってきたヨガそのものは、いいのです。「ヨガ」というのは平均をとるという意味だそうです。ですから、前にかがんで仕事をしている人は、後ろにそり返って、平均をとるポーズをするといったことがあるのですが、体の平均をとるだけでなく、ポーズをとることで心のあり方も含め、いろいろなことの平均をとる、釣り合いをとるというのが本当のヨガなのです。現在ではポーズのことばかり目を向けられて、そこのところが抜けている人が多いということのようです。

どんな治療法であっても「冷え」と心の問題が抜けていては、土台がしっかりしていない建物のようなものです。土台のことを抜きにして洋風がいいとか、鉄骨建てがいいとか言いあっても意味はありません。

治療法も何がいちばんいいということはありません。それよりも患者さんの「冷え」と心のもち方が問題だし、加えて治療する人（医家）の「冷え」と心の状態によっても効果はちがってくるものです。

Ⅱ 今日からできる冷えとり健康法

第4章　冷えをとる入浴、悪化させる入浴
——正しい冷えとり入浴法

入浴は、ふだんの生活の中でいちばん簡単に冷えをとる手段として、とても大事なものですが、入浴のしかたをまちがえると、かえって冷えを悪化させることにもなってしまいます。次章で述べる靴下の重ねばきと、これから述べる正しい入浴法はきちんと守って毎日実行するようにしてください。

1. 胸から下だけお湯につかる

正しい入浴法の基本は、いつも胸から下だけをお湯につけるようにするということです。腕もつけてはいけません。そして、体温よりも少し高い程度の、三七〜三八度のお湯に二〇〜三〇分ゆっくりと入っているのです。するとだんだん体の芯から温まってきて、汗がでてきます。この方法だと湯ざめはしません。

胸から下だけお湯につかるというのは、文字通り頭寒足熱の状態になるということです。慣れない人は、初めは上半身が寒いような気がしますが、まずはがまんしてしばらくつかっていてください。

時どき二〇～三〇秒間だけ肩までつかるのはさしつかえありません。そのうち確実に、体の芯から温まって気持ちよくなってきます。必要ならば風呂場用のイスなどを湯舟に入れておけば、胸から上を出したままの姿勢を楽に保つことができます。

あるいはまず足もとに五、六杯湯をかけて温め、次に「かかり湯」をしてから三七～四〇度の湯に首まで浸ります。五～一〇分間もすると体の芯まで湯の熱がしみこんで、上半身を出していても開いた窓から吹きこむ寒風が涼風と感じられ苦にならなくなります。このあと適当な時間（三〇分～二四時間）半身浴をします。もちろん途中であがって体を洗ってもよいのです。冬は、この入浴手順をとると楽です。

(1)　熱い湯でカラスの行水はだめ

よく、熱いお風呂に入らないと風邪をひくと思っている人がいますが、あれだけはやめたほうがいいと思います。ぬるめの気持ちのいい温度がいいというのは、ぶ厚い魚の切り身の芯まで熱を通そうとするのなら、トロ火で焼くのがよいのと同じです。強火で焼くと、表面しか焦げません。お風呂も、あまり熱いと皮膚の表面がバリアを作って中に熱を入れないようにするので、温まるつもりが、表面だけ熱くて体の芯は冷えたままになってしまうのです。「カラスの行水」だとなおさら体表が熱くなるだけで、すぐ湯ざめしてしまいます。カラスの行水をする人がいるのは、熱い湯に肩までつかると

図6　正しい入浴法

いつも、胸から下だけ、お湯につかるようにして下さい。
（うではつけないように――）
20～30分くらい入っていると、汗が出て気持ちよくなってきます。

この方法だと、湯ざめはしません。

子どもは、湯の中で立って遊ばせておいて下さい。肩までつかって、百数えるのは、やめましょう。

頭寒足熱にならなくて有害なのを、体がいやがってすぐ上がりたがるからなのです。ゆっくりと、ぬるい気持ちのいいお湯に、長いこと入っている方が芯まで温まっていいということです。

子どもは遊ばせておく

子どもをお風呂に入れるときも、良く温まれということで、ついお風呂にくびまでつけて、百かぞえさせるという人があります。子どもはすぐでようとするので、親がのぞきこんで見張るのですが、ああいうことはしてはいけません。表面だけ熱くして体の芯は冷やして病気のもとをつくっているからです。小さい子どもは中で立たせてあそばせておくとちょうど腰から下はつかりますから、おもちゃでも浮かせておく。そうすると一時間でも平気であそびますから、ちょうどいいのです。そのあいだ親は仕事もできるし、一挙両得です。

子どもも大人も、頭がボンヤリするくらいまで熱いお湯に肩までつかるというのは、冷えをとるどころかよけい体を冷やしているのです。それでいて、「お風呂に入ってかぜをひいた」などとお風呂に責任をかぶせてはお風呂がかわいそうです。

湯上がりあとは靴下から着る

お風呂からでたら、マットなど温かいものの上ですぐに靴下をはき、下半身はズボン下などを多めに身につけてください。上半身は初めは裸でもいいのです。ランニング一枚などにしておいて、時間がたって肌寒くなったら一枚ずつ増やしていくようにしてください。それを、はだしのままでガウンを着ると、上が温かく下が冷たい状態ですからかぜをひくことになります。

(2) こんなときはどうする？

「入浴してはいけないとき」はない

予防注射のあと、抜歯のあと、熱があるときなどは、入浴してはいけないといわれているし、医者に禁じられることもあります。しかし、これは世間一般の入浴のしかたがまちがっているからなのです。熱い湯に肩までつかって、ということでは、とくに症状がでていないときでもよくないのに、症状があればなおさらということになります。

正しい入浴法ならば頭寒足熱ということになって、これはただの入浴でなく治療になるのです。熱があって具合が悪いときなどはかえって入浴した方がいいし、注射、抜歯のあともかまわず入れます。

注射のあとなどでは、入浴するとバイ菌が入るのでは、と心配する人もいますが、これは第2章の水虫の項で述べたように、バイ菌に侵されるのは、体が弱っているからなのです。正しい入浴法をしていれば、バイ菌に感染する心配はありません。

極端な例をあげますと、妊娠していて予定日近くに破水をした人がいました。どうしようというので、風呂に入れたのです。三、四〇分入っているとおちついてきたので、それから産科に行かせたら、安産でした。そんなこと普通はしないのです。西洋医学でいくと破水しているんだから、バイ菌が入ったら産褥熱になりかねないし、ムチャクチャだということになるのですが、これは体の具合が悪いから早期に破水したのです。だから冷えをとって、体の具合を良くすればいいということなのです。どうしても心配だという人は、2で述べる足湯の方法で冷えとりをしてください。

石けん、入浴剤、浴槽の材質など

入浴道具については、石けんはもちろん天然油脂のものがいいのですが、あまり神経質になることはありません。ただ、最近出まわっている合成洗剤の、液体状のものはやめたほうがいいと思います。

浴槽の材質も、本当なら木、しかもサワラの木が一番いいのですが、これはちょっと無理な話です。あと、スノコもできれば木のスノコがいいことはいいのですが、風呂場には一日中いるわけでもないので、入浴のときには胸から下をゆっくりと湯につけて、体を正しく温めることに一番注意してください。

体を温めるという点からすると、入浴剤もいろいろなものがでまわっていますが、そのなかで「オンセンス・パインバス」という入浴剤はおすすめできます。一般の入浴剤よりは湯ざめしにくいし、不思議なことに、オンセンスの湯に入っていると、吹き出物がでてきたとか、皮膚がピリピリするとかいうことがあるのです。つまり、体の中の毒がよくでるようになったということですから、これは歓迎しなければなりません。こういうときには掻いたり、こすったりすれば毒がよくでていって、早くかゆみが消えます。でていった毒は、他の人の害になることはありません。

また、私が開発した「杉っ子」という入浴剤は保温力があるうえに「毒だし能力」もあり、すべての入浴剤に勝っています。現在三つの「冷えとりグループ」が作って配布しています。

2. 足湯の方法

足湯とは、その名の通り足を湯につけるだけですから、わざわざお風呂をたてなくとも、いつでもできる手軽な方法で、しかも入浴と同様に体を温める効果があります。冷えの強いとき、下痢、腹痛、頭痛、生理痛など体調の悪いときは、夜の入浴まで待たずにこの足湯をしてください。また、傷があってお湯につかるのがどうしても心配という人も、この方法で冷えをとってください。

足湯をするには、バケツに気持ちのよいていどの、熱すぎないお湯を入れて、両足をつけるのです。

図７　足湯の方法

冷えの強いとき、下痢、腹痛、頭痛、など体調の悪いときにお試し下さい。入浴と同様の効果があります。

お湯（気持のよい程度）の入ったバケツに両足をつけて、温めます。
ビニール袋で、バケツごと、スッポリ包むと、お湯がさめにくくなります。
さめてきたら、少しずつ、熱いお湯を足して下さい。

上半身はできるだけ、薄着にしておき、からだ全体がポカポカと温かくなるまで続けて下さい。
（30分以上――）

三〇分も続けていると、体ぜんたいがポカポカと温かく、気持ちよくなってきます。

このとき、上半身はできるだけ薄着にしておいてください。また、大きなビニール袋（ごみ用の黒い大きなものなど）で、バケツごと足をスッポリ包むと、お湯がさめにくくなります。さめてきたら、少しずつ、熱いお湯をたしてください。おしまいに熱い湯をたして何とかがまんできる程度にまで温度を上げて、七～八分間つけているともっと効果があります。

冷めやすい足湯の温度を保つために、電熱を利用した「足湯器」がいくつかの電機メーカーで開発、販売されています。

水泳は「冷え」るか？

水泳は、冷たい水の中に入るのですから、「冷え」を増強するだろうと考える人が多いと思います。

しかし、ほとんど全身が水に浸っているので上半身と下半身の間の温度差が少ないわけですから、思ったほどには「冷え」ないものです。それよりも足もとだけ水につけている「水遊び」のほうが「冷え」るものです。

どちらの場合も、あとでゆっくりお風呂に入るといいのです。もちろん正しい入浴法で。

それから泳ぐ前に手首、頭、胸など上半身に水をかけて冷やしてから水に入ると、上半身のほうが冷たい状態になるので「冷え」を防ぐことができます。同じ理由で、入浴後、水をかぶる場合も、上半身から先に水をかけるのがいいのです。

第5章　衣――下手な医療より「頭寒足熱」

私たちの体は、病気にならないために、いつも少しずつ、様々な形で毒を外にだしています。皮膚の表面からも絶えず多くの毒がでています。この皮膚呼吸をさまたげないような衣服を身につけることが、とても大切です。正しい服装をしていれば、下手に対症療法を受けるよりもよほど効果的です。

1. 冷えとりのための服装三原則

(1) 頭寒足熱を心がけるには

冷えをとるには、頭を涼しく、足もとを温かくすることです。しかし、実際に街を歩く人の服装を見ていると、上半身ばかり厚着して、下は薄いズボンかスカート一枚、足もとも露出度の多い靴をはいている、という人ばかりです。これとまったく逆の発想をしなければなりません。

「上に厚く下に薄く」は、人々の不満を誘って社会不安を招きます。服装もまた、上厚下薄は健康不安を招くのです。

ですから、私は富士山を思い浮かべて服を着なさいというのです。富士山は、裾野のほうは植物がたくさん生い繁っていて、上にいくほど種類も数も少なくなって、頂上は裸になっていますから、あの通りにしなさいと。

やってみれば、足もと・下半身が温かいと、上半身は余り寒くなくて薄着で平気でいられることが実際にわかります。腰から下は真夏以外は、いつも真冬の服装で、腰から上はいつも真夏に近い服装が良いのです。真夏でも、足首から先は真冬と同じに温めてください。

図８

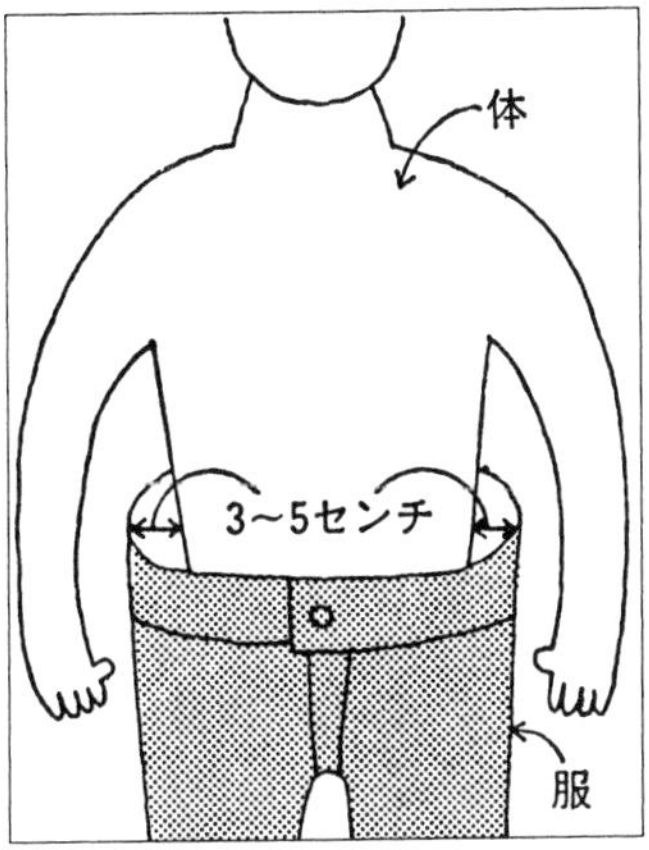

注　体にくらべて、衣服の直径は６～10センチ大きいことになる。すると円周(布地の幅)は18～30センチ大きくなる。たとえばヒップ90センチの場合、衣服のヒップは108～120センチになる。

(2) 服と体はつかず離れず

二番目は、体をしめつけるような服装は、いけないということです。

しめつけると、皮膚からの病毒の出口がふさがれるし、血管も圧迫されて循環も妨げられま

図9　温めるところと冷やすところ

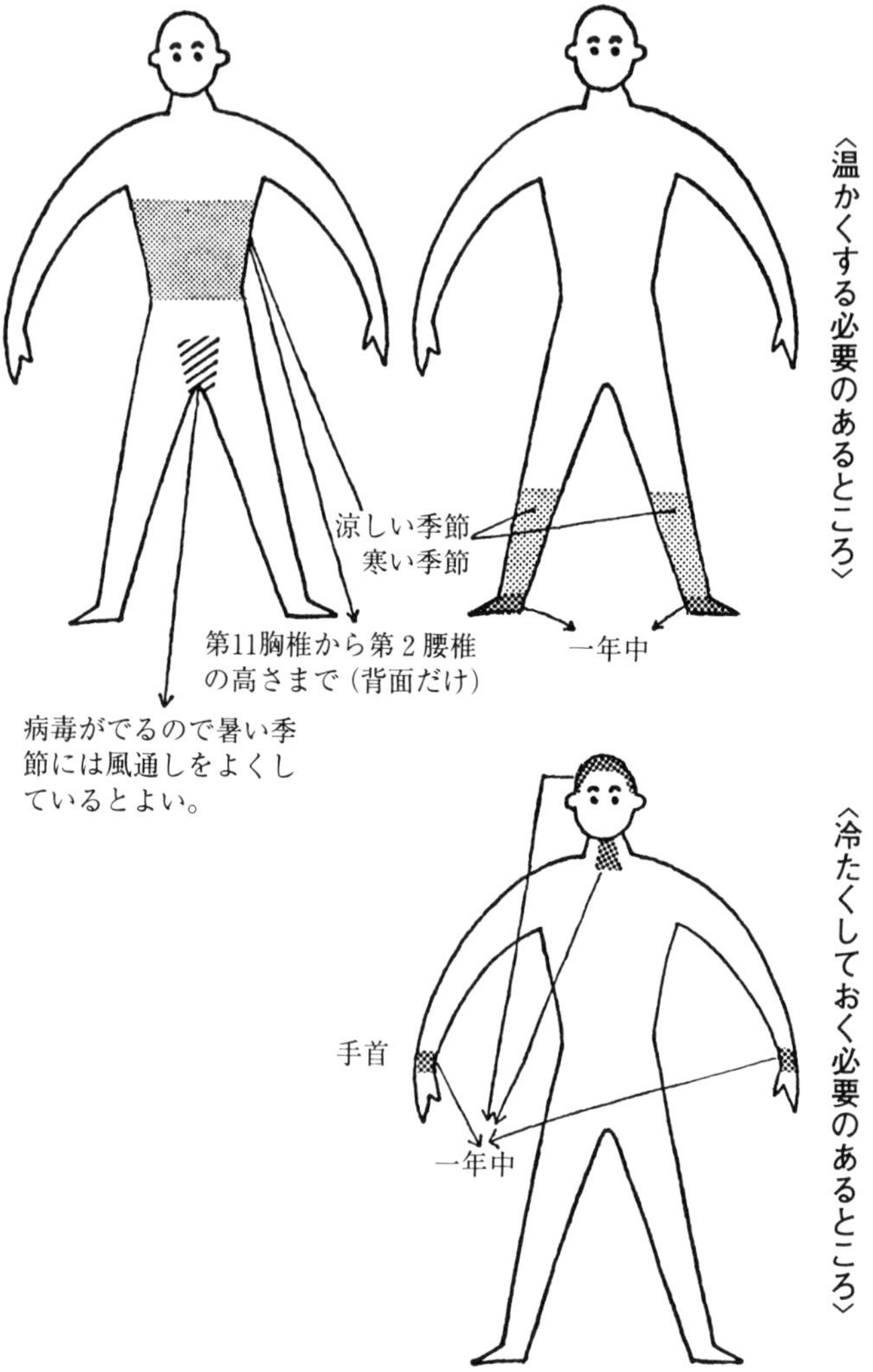

図10　季節による服装の違い①　暑いとき

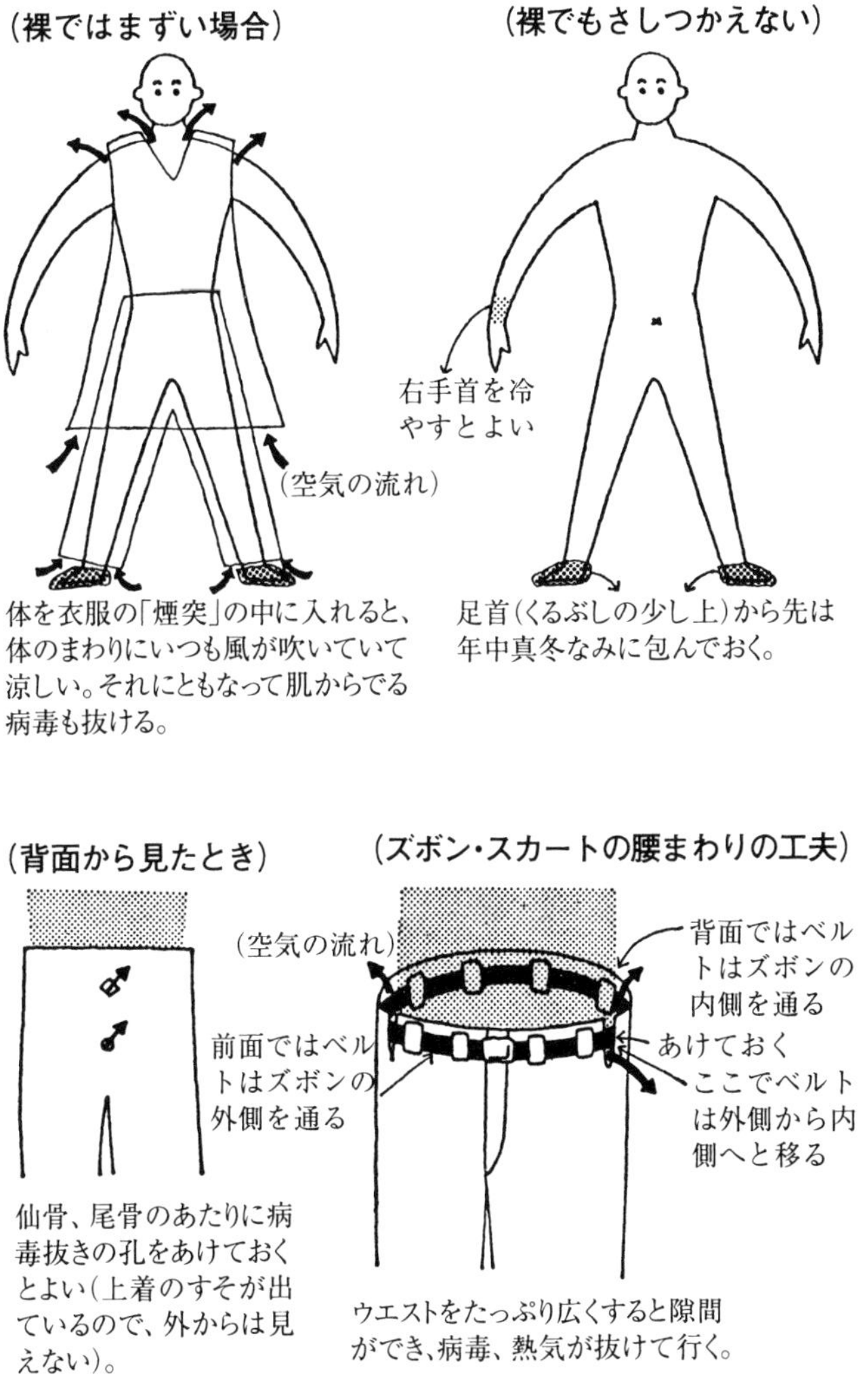

(裸ではまずい場合)

(裸でもさしつかえない)

右手首を冷やすとよい
体を衣服の「煙突」の中に入れると、体のまわりにいつも風が吹いていて涼しい。それにともなって肌からでる病毒も抜ける。

足首(くるぶしの少し上)から先は年中真冬なみに包んでおく。

(背面から見たとき)

(ズボン・スカートの腰まわりの工夫)

背面ではベルトはズボンの内側を通る
前面ではベルトはズボンの外側を通る

ここでベルトは外側から内側へと移る
仙骨、尾骨のあたりに病毒抜きの孔をあけておくとよい(上着のすそが出ているので、外からは見えない)。
ウエストをたっぷり広くすると隙間ができ、病毒、熱気が抜けて行く。

図11　季節による服装の違い②　涼しくなってきたとき・寒いとき

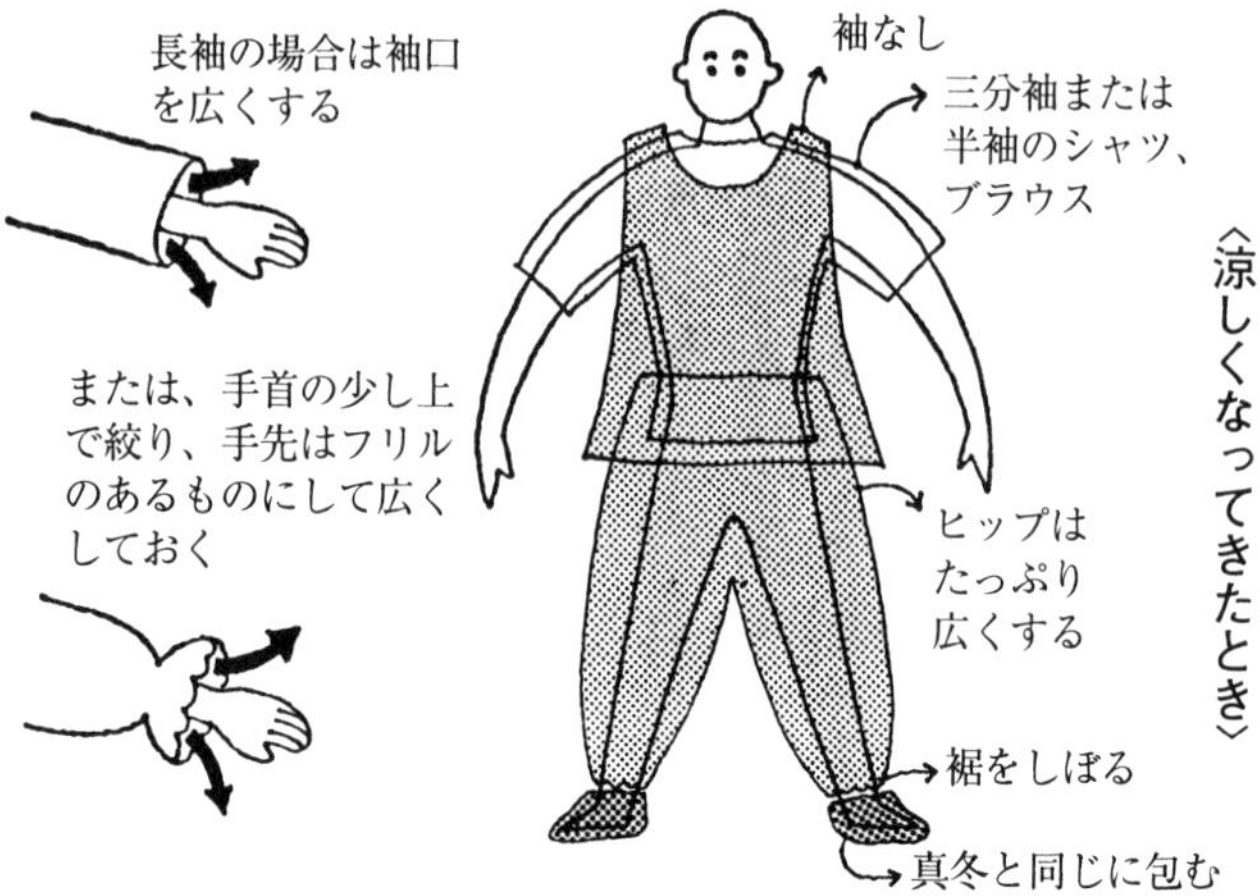

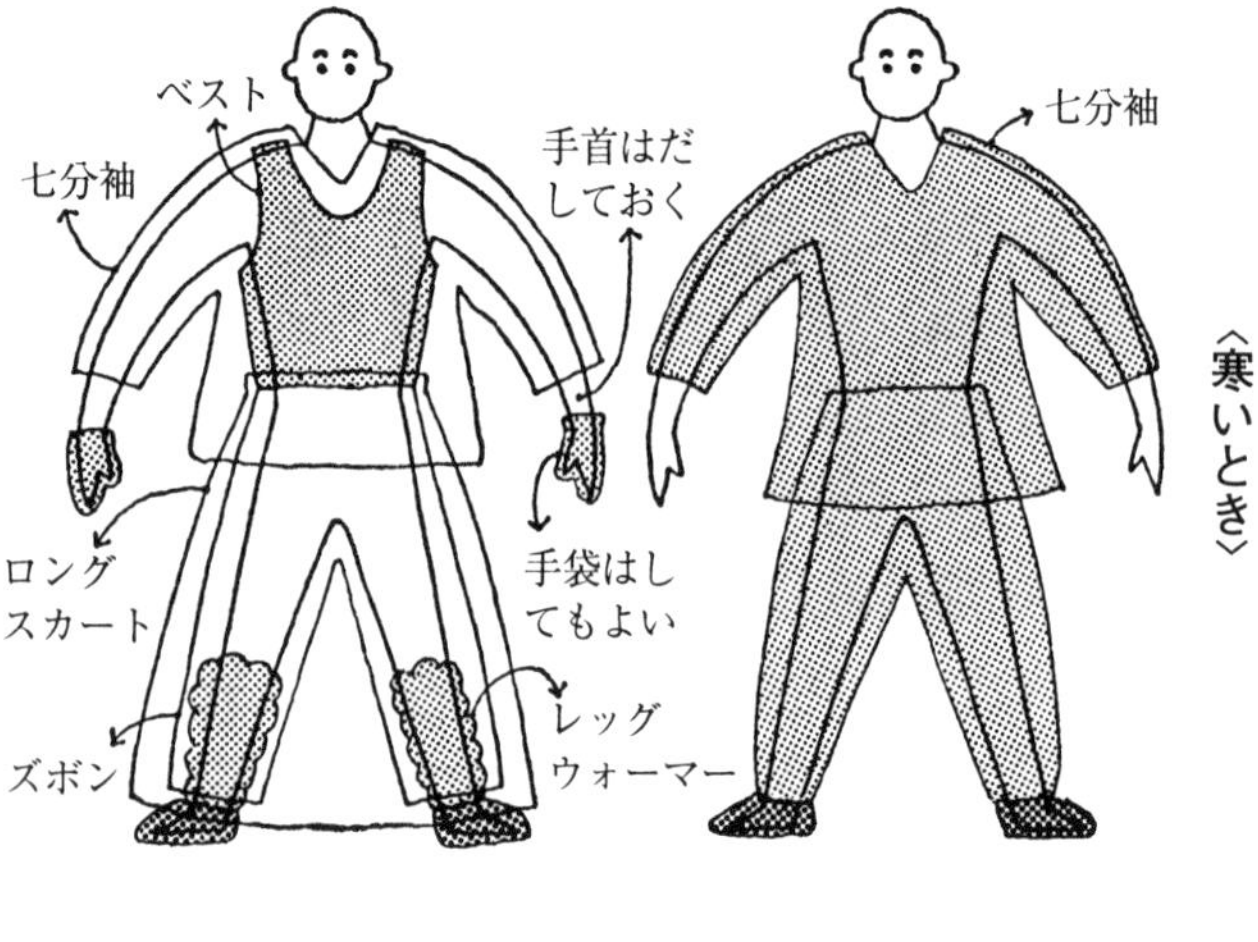

す。

ですから、衣服はつねに体と不即不離であることを心がけてください。体から三～五センチ離れて少しダブダブしている感じがいいのです。直径は円周の約三分の一ですから、布地の幅は一八～三〇センチ大きめのものを使うといいのです。

そうすると、体の動きによって、くっついたり、離れたりしますから、不即不離になります。そして、ズボンなら裾を絞るといいのです。ちょうど、アラビアパンツといわれる形になります。これは、裾がまとわりつかないから動きやすいし、下半身の温かい空気が逃げないという効果もあるのです。

ただし寒い季節には、伸縮性のある素材の肌着を着ることはさしつかえありません。

(3)　天然素材で医者代減らし

三番目には、化繊よりも天然繊維を身につけたほうが病毒の出方がスムーズになるということです。化繊は病毒の排出をおさえるので、皮下で病毒がたまって炎症になります。一般には、これを「化繊にかぶれた」といいます。衣服でも食べものでもあまり化学的なもの、加工度の高いものはよくないということなのですが、これはふだん事実として体感することができます。

足は体の毒がよくでる部位の一つですが、靴下でも化繊のものをはいていると、非常に具合が悪いのです。薄いはずなのにすぐ汗でベタベタする。これは体の毒が汗になってでているのですが、化繊はそれを通さないのですぐベタつくのです。それにくらべると、絹や木綿の靴下をはいたときはまず感触が温かいし、ベタベタになるまでの時間が長い。つまり絹や木綿は毒を吸いとってくれるのです。麻も同じです。

ただ、木綿は吸毒はしてくれるのですが、排毒の作用はないのです。だからそのうちに毒で満杯になってベタベタして、はき替えなくてはならなくなってくる。その点で一番体にいいのは絹なのです。絹は保温性にすぐれ、その上排毒作用も強いし、外からくる毒を受けつけないという、非常にすぐれた素材です。

これも簡単に実感できることで、絹の靴下をはいてその上に重ねて木綿の靴下をはくと、ベタベタになるのが、はっきりとわかるほど、ぐっと遅くなるのです。これはやってみればわかります。しかし絹は素材としては非常に高価で、しかも磨耗しやすいという欠点がありますから、絹の上に保護の意味で重ねて木綿の靴下をはくなどの工夫が必要になります。こうすれば絹も非常に長持ちします。工夫といっても簡単なことですし、四枚ははいたほうが、足もとを冷やさないということからも望ましいのです。

「天然素材は高くて」と尻ごみする人もいますが、安い化繊の服を着て体をこわし、結局高い医者代を払うより、高級天然素材でおしゃれもする、医者代もかからないというほうがよっぽどいいのではないでしょうか。

2. やってみると気持ちいい、靴下療法

足の裏は、直接内臓とつながっていて、最も汗線が発達し、冷え・食べすぎ・循環障害の毒が多くでるところです。別に運動をしなくても、一日にコップ一杯くらいの汗が足の裏からでているのです。いつも温かくし、靴下がぬれたらこまめにとりかえてください。

(1) 冷えを感じない人でも四枚はこう

1　一番下に絹の五本指の靴下をはく

2　次に木綿または毛の五本指靴下または指なし靴下をはく

3　その上に絹の指なし靴下をはく

4　その上に好みの靴下（なるべく天然繊維製のもの）をはく

一番下に木綿の靴下をはいてもかまいませんが、とにかく絹と絹以外の天然繊維製の物を交互に重ねることが原則です。どちらにしても効果に決定的な差はありませんが、絹は肌からの毒だし力があるので一番下にはくのがおすすめです。化繊製のものは、なるべく肌から遠ざけてください、「冷え」がひどい間は、靴下が破れることが多いものです。肌からでる毒のために破れるのであって摩擦や圧

迫によるものではありません。私は半年間とりかえないではいていますが破れません。

(2) こんなときは枚数を増やす

靴下を最低四枚はくという原則は、二四時間、一日中守ってください。ぬぐのはお風呂に入っているときだけです。寝るときもはくのです。寝ている間は、五本指の木綿の靴下をはいたら真綿（絹でできている）を綿布（生なりの天竺木綿が安くてよい）でキルティングして作った足ぶくろをはくといった工夫もできます。外出時も靴下を四枚重ねて足が靴に入らないようであれば、少し大きめの靴を買うようにしてください。

そして、靴下の枚数は体調に応じて増やしてください。あおむけに寝てみて、足の甲あたりがスースーする、足もとが冷える感じがする、というときは温め方がたりないのです。こういう場合は、あまり重ねると厚ぼったくなるので、薄くても保温力のある絹を増やせれば楽です。そのほか、次のような場合はとくにしっかり足もとを温めてください。

1. 足がほてるとき……これは冷えをとるために体が発熱しているという状態です。こういうときは、がまんして靴下をたくさんはくのです。暑苦しいのは一時的で、体が正常に戻れば足のほてりがなくなります。そして上半身を薄着にしてください。

2. 患部が痛むとき・ケガをしたとき……患部が痛むのは冷えが強まっている証拠ですし、ケガは冷えでたまった内臓の毒がでたがっている部位によく起こるので、中心部はそのままにして下半身とくに足もとをしっかり温めてください。

3. 生理のとき……女性の場合、生理のときはちょっとした冷えでも体調がくずれやすいので、いつもより靴下を増やすようにしてください。

運動をする場合には、あまり厚ぼったいとやりにくいので、このときだけは適当に減らしても結構です。ただ、運動が終わったらすぐに増やすようにしてください。そのほかにも、学校の規則や仕事の都合などでどうしても重ねてはけないときには、体を鍛練しているのだと思って、はけるようになったらすぐにもとに戻すようにするのがよいでしょう。

なお、困ったことに子ども用の五本指の靴下は、市販されていますが手に入りにくいのです。指なしでも、純綿のものはあまりないのです。しかたがないので、木綿と化繊を混合したものはありますから、それで妥協するしかないようです。まだヨチヨチ歩きの幼児くらいまでならば、絹のきれはしで足ぶくろを作って足首なり膝の下なりでくるむようにするなどの工夫もできますが、小学校にあがるころになると一番困ります。しかたがないので、靴下以外の冷えとりをしっかりやるようにして補うことを心がけてください。

3．タイプ別冷えとり服装ヒント集

実際に体を冷やさない服装をしようとするときは、これまでのまちがったファッション観を捨て、社会的なしきたりの中でもできるだけの工夫をするようにします。誰でも原則は下を温かく、上を涼しくということですが、タイプ別にいくつかヒントをあげるので、参考にしてください。

(1)　子ども

はだしはほどほどに

よく幼稚園や家庭で、子どもははだしで育てるのがいいといわれ、実際やられていますが、今までにも言ってきたとおり、はだしは決してよくないのです。もっとも、鍛練という意味で、たまには悪いこともするという、かくしあじの意味でやるのなら、その後は靴下をしっかりはけば冷えとりの効果が上がるのでやってもかまいません。いつもはだしというのは、よくないということです。

半ズボンにトレーナーはだめ

「子どもは風の子」と言って、冬でも半ズボンをはかせている親がいますが、頭寒足熱の原則からいえば半ズボンよりは、長ズボンのほうがいいのです。どうしても半ズボンをはかせるなら、上はさらに薄く、ランニングなどを着せなければなりません。よく見かける、半ズボンにトレーナーという格好はいけません。

私の近所でも、それまで体の弱かった小学校三年生の男の子が、ある日思いたってひと冬半ズボンとランニングですごしたことがありました。親や教師は反対したのですが、本人はがんばってやり通したのです。すると、それまではすぐ風邪をひいていたその子が、元気で風邪もひかなくなったのです。そこまではよかったのですが、二年目の冬は大人たちが、いかにもみっともないからという間違った考えで、木綿のランニングだけをやめさせて化繊の長袖トレーナーを着せました。すると具合が悪くなってしまった。頭寒足熱の原則を知らないと、元気な子をわざわざ弱くしてしまうのです。

(2) 若者

ジーンズはゆったりしたものを

若者の服装というとジーンズを思い浮かべますが、これは素材は綿ですからよいのです。ただ、体型がしっかりわかるようなぴっちりしたものは、不即不離の原則と逆になるので避けてください。最近は、お尻のまわりとか、上着であれば肩のあたりがだぶっとしたのがはやっていて、結構なことです。

ただ、ジーンズも化繊の入っていることがあって、「綿一〇〇%」という表示も、実は八〇%まで綿であればあとは化繊でもかまわないということがあるそうです。八〇%でもさしつかえはないのですが、できれば一〇〇%の方が望ましいのは当然です。この場合は、アメリカの綿製品は評価が高いので、輸入ものを買うといいでしょう。

革ジャンパー・革ズボンは素材的には合格

バイクに乗っている若者がよく革ジャンパー、革ズボンを使っていますが、本革のものであれば天然素材ですから、素材的には合格といえます。衣料の天然素材としては一番優れているのが絹で、あと革、木綿、麻、ウールなどは大体同じようなものです。

ただし、革ジャンパーでも革ズボンでも、やはりぴっちりしたものは避けるようにしたいものです。とくにジャンパーの場合は、袖口がしっかり締まるようになっているものが多いので、これは極力開けておくようにして欲しいのです。

ズボン下がいやなら靴下をしっかり

秋、冬の寒いときは、若者もズボン下をはいたほうがいいのです。しかし、「おじん」といわれるので、たいていの人は寒くてもやせがまんしているようです。どうしてもいやだという場合は、せめて靴下だけはしっかり重ねてはいてください。

もっとも、ズボン下も肌にぴったりつくものが多いという点が少し困ります。それでも、探せばダブダブのさらしのズボン下もあるので、素材にも注意しながら買うようにしてください。

ダウンジャケットはベスト型を

スキー場でよく見かけるダウンジャケットが、冬のふだん着になってから、しばらくたちました。これは、できれば袖なしのベスト型の方がいいのです。ベストは躯幹だけおおって、腕はでているので、それほど悪くはないのです。

そして、中身の素材は当然化繊よりは羽毛のほうがいいのですが、これは一番上に着るものなので、肌着などにしっかりした素材を使っていれば、化繊であってもいちおうがまんはできます。

靴はバスケットシューズ型がいちばん

靴は、できればバスケットシューズのように足首まで包むようになっているもののほうが望ましいです。革のブーツなども、すねまでくるものと足首までのとありますが、どちらも結構です。

素材的には、本革とか、スニーカー類でもなるべく綿の多いものを選んでください。ただ、これも靴下をしっかりはいてさえいれば、人工皮革や化繊であってもいちおうがまんできるので、足首をしっかり包むものをまず選んでください。

そして靴を選ぶときは、靴下を四枚はいても楽に使えるようなもの、少し大きめの先の丸いものを選ぶようにしてください。先の丸い革がいいというのは、もともと人間の足は先が丸いのに、とがった靴をはくと型があわないので、とくに蹈趾があたって外反蹈趾になりやすいからです。

(3) 婦人

私のところで治療を受けた患者さんを中心とした集まりがあって、主婦の方が多いのですが、その会にいる奥さん方は大体同じスタイルをしています。色・形は思いのままですが、服装の三原則にしたがってまず靴下をたくさんはいて、くるぶしまでくるブーツをはいています。そしてズボン下をはき、ズボンをはく。その上に長いスカートをはくのです。上は袖なしのシャツやブラウス一枚です。その格好でデパートの、ファッション・ブティックのところを歩いていたのです。

するとそこの主任がきて、あなたはとても良いセンスをしていらっしゃる、とほめられたそうです。その人たちにいわせると、いわゆるスカートで、ナイロンのストッキングで、小さな靴をはいて、というファッションは、もう古いのだそうです。健康の面から見たのではなく、センスの面からいってもそれは古いということだそうです。

サンダル・パンプスはやめよう

若者の項でも述べましたが、靴はまず足を温かくおおうものかどうかを基準に選ぶべきです。だからつっかけサンダルやパンプスは避けたほうがよいのです。

また、冷えとは関係ありませんが、靴を選ぶときは、底の柔らかいものを選ぶのがよいのです。歩くと踵《かかと》が上がるので、そのとき靴の底が固くて曲がらないと趾《ゆび》先が痛くなったり、踵の靴ずれのもとになります。それが一番ひどいのが、一本がけのパンプスやハイヒールで、踵に一本ヒモをかける形になるようなものです。あれはすぐ靴ずれを起こすし、不安定でよく捻挫を起こします。肌も露出しているし、いいことは一つもないのだと思ってください。

ナイロンのストッキングは自殺行為

ナイロンストッキングは、化繊だし、薄くて寒いし、肌に密着しているということで、悪い点しかありません。ナイロンストッキング一枚で、スカートで、パンプスをはいて上は毛皮のコートというのは、私にいわせれば自殺行為です。病気になりたい、なりたいという、いわば慢性の自殺行為なのです。

患者さんの体験談ですが、絹のストッキングが手に入ったので、それをはいてパーティーにでたのです。冷房が効いていて、一緒にいった隣の奥さんはナイロンストッキングをはいていて、二時間も居ると「寒い、寒い」といいだしてとても最後までいられなかったのに、その人のほうはあまり寒いとも思わず平気だったそうです。二人とも同じような格好をしていて、ちがうのはストッキングが絹かナイロンかだけだったのですが、それだけのちがいがあるのです。絹は見た目は薄いのですが、保温性は非常に強いのです。

もちろん、絹のストッキングというと高価になるので、ふだんは靴下をしっかりはくことにして、パーティーなどどうしてもストッキングでないとという場合にだけ使うように、一足二足もっておけばよいのです。

韓国のチマ・チョゴリは最良のスカート

スカートは裾が開いていて、温かい空気が逃げるので、女性もズボンのほうがいいのです。ジーンズでも、パンタロンでも、素材が木綿・麻・絹・ウールでズボン型のものがいい。とくに冬は、裾を絞ったアラビアパンツ式のものであればなおよいのです。

ただ、スカートでもロングとかマキシと呼ばれる、床までくる長いものはよいです。この場合は、足もとの間にも空気の大きな部屋ができて、寒さを防いでくれます。

ですから、韓国の民族衣装でチョゴリというのがありますが、婦人のチマ・チョゴリはたいへんよくできているのです。床まで届くスカートで、素材的には絹だといいますから合格です。その上、冬はそのスカートの下に、綿を木綿とか絹ではさんだキルティングのズボンをはくし、上は短いブラウスというのですから、冷えとりの点からいえば万全ということになります。見た目にも非常に美しいものです。

夏の場合は、スカートでもかまいません。膝くらいまでのスカートでも、靴下さえしっかりはいていれば、それほど害はありません。

煙突に入るつもりで服を着る

ズボン、スカートをはくときにもう一つ気をつけたいのは、腰のまわりをしめつけないということです。どこでも体をしめつけるのはよくないのですが、とくに仙骨、尾骨、肛門のまわりは冷えや食べすぎの毒がよくでる部位なのです。それを発散させるには、腰の後ろから空気が抜けるようなすき間をたくさん作っておきたいのです。

その点では、日本の袴が非常によくできています。袴は、お尻の上、腰のあたりが密着しないで、少し間があいています。これにならって、ふだん着は自分で簡単なスカートを作って、ボタン・チャック式でなくベルト式にするのです。そして背中のほうのベルト通しは内側へ作って、そこを通すようにするとうまい具合にすき間ができます（イラスト「季節による服装の違い①」参照）。さらに袴と同じに腰の左右はあけておくと、毒の抜け道が増えてなおよいです。裁縫のできる人なら、日本で猿まわしなどが使っている裁着袴《たっつけ》のようなものを作るとよいでしょう。これは、腰のあたりはあいているし、膝から下は絞るので温かいし、動きやすいということで、うまくできています。

せっかく腰のまわりに空間を作ったのですから、わざわざそこへ上着の裾を押しこんでふさいでしまうのはやめましょう（ただし、寒い季節はそれでもさしつかえありません）。皮膚からでた毒は、空気の流れにそってでようとするので、上着もゆったりしたものを着て、裾は外にだしておけば、ちょうど体のまわりに服で煙突を作ったのと同じ状態になって、毒がスムーズにでていってくれます。

ブラウスは衿もとと袖口を広く

服で煙突を作るのですから、ブラウスは大きめの、ゆったりしたものがよいのです。素材はもちろん天然繊維が望ましいのです。そして、下半身から昇ってきた毒が抜けやすいように、衿もとが広いものを選んでください。

手はできるだけ露出したほうがいいので袖は短いほうがいいのですが、長袖にしなくてはいけない場合は、袖口の広いものにしてください。袖口も、ボタンでとめるものでなく、フリルがついて広がっているようなデザインなどいろいろあるので、腕をだす原則の上で好みに合わせておしゃれをしてください。

下着の工夫

女性のパンティーは小さく、ぴっちりしていて化繊のものというのが多いようですが、これもストッキングと同じでいいことがありません。とくに女性は股間を冷やすのはよくないので、できればゆったりしたブルーマー式の、天然素材のものをはいてほしいのです。いやだという場合はしかたがないので、せめてお尻のところに綿や絹の布切れでもあてるといいと思います。この場合も、足もとは靴下でしっかり包んでおくことだけは守ってください。

ブラジャーというものも、胸はしめつけるし、化繊のものが多いのでいけないのです。しかし、これはまったく使わないわけにもいかないし、素材的には絹や綿のブラジャーを手に入れるようにしてください。または、パンティーのときと同じように、綿か絹のハンカチを三角にたたんで、胸の下からあててその上にブラジャーをつけるようにするか、絹の肌着の上からブラジャーをすれば、化繊の害を受けないですむのです。

和服のときは絹のズボン下を

和服は裾が足もとまできているので温かくていいのですが、上半身のほうまでしっかり厚ぼったいので、結局あまり具合のいいものにはなっていません。足もとも、足袋の重ねばきはできないので困るのです。

そこで、和服を着るときの工夫としては、絹のズボン下をはくとまだいいのです。保温作用があって冷えをとるし、それに絹はすべりやすいので裾さばきがよくなって、一石二鳥です。さらに絹の腰巻きなどを重ねると、下半身が上半身より厚着になるので、よいと思います。

(4) サラリーマン

サラリーマンは、スーツ姿が制服のようになってしまって、意外と制約が多いものです。私服でよい場合は、服装の三原則や今までの例を参考にして創意工夫をしてください。ここではスーツ姿のときの工夫をいくつかあげましょう。

いちばんいい靴は本革だが

靴は、できることなら本革をそろえたいのです。本革で、靴下を重ねても楽に歩けるような、少し大きめのものがいい。しかし経済的な制約もあるし、本革は雨の日に具合が悪いということもあるので、合成革でも妥協しなければならないケースが多くなります。こんなときは、少なくとも靴下だけはしっかり重ねてください。靴下がしっかりしていれば、苦にするほどの害はでずにすみます。

化繊の靴下一枚は厳禁

ですから、サラリーマンがよくはいている薄い化繊の靴下、これは厳禁と思ってください。ほかのところで毒の逃げ道を作る余地が少ないのですから、靴下は三枚、しっかりはくようにしましょう。

余談ですが、電車の中や喫茶店ですわっている人の足もとを見ると、足の甲を合わせている人が目につきます。これは無意識に冷えを感じて、足を重ねて温かくしているのです。こういうときは、靴下を増やしてください。

背広はできれば麻・ウールを

背広も、できるだけ天然素材の多いものがいいのです。麻やウールのものがいいのですが、具合の悪いことに上着は天然素材が多くても、ズボンは化繊の混合度が高いことがあるのです。冷えとりの観点からすれば上半身よりも下半身に気をつける必要があるのですが、ちょうど逆になっています。ですから、こういう場合はぜひ木綿や絹のズボン下をはくようにしてください。保温の点と、化繊の毒を防ぐという点から必要になります。もちろん、ズボンが天然繊維の場合も、ズボン下ははいたほうがよいのです。

三つ揃えのときは上着をぬぐ

三つ揃えは、上半身ばかり厚着になってそのままではあまりよくありません。しかし、上着をぬいでベストだけにすれば、かえってベストなしの上着だけという服装よりもよいものになります。

ベストは、胴（躯幹）だけを温めるので、わりあいよいのです。頭寒足熱・気のめぐりでいうと、腕は上になるのです。いちばん上が手首で、肘や手首はできるだけ外にだしておきたい部分です。ベストは腕が出ていますから、三つ揃えのときはこまめに上着をぬぐことです。

首をしめつけてはいけない

ネクタイはサラリーマンの必需品ですが、首のまわりをきっちりしめると服の煙突が作れなくなるので、何とかしたいのです。だから許されるならば、こまめにネクタイをゆるめてワイシャツのいちばん上のボタンをはずしたいし、ワイシャツを買うときにあらかじめカラーのサイズが二つくらい上の大きさのものを買っておけば、ネクタイをゆるめなくても、首まわりがあいているということになります。

だから冬にセーターを着るときも、とっくりセーター、タートルネックは避けてください。マフラーもよくありません。下半身を温かくして本能が正常になれば、首まわりがスースーしても寒いとは思わなくなるので、しばらくの辛抱です。

ワイシャツと肌着の工夫

化繊のワイシャツも、もちろんいけません。絹のワイシャツがいちばんよいのですが、これはかなりぜいたくな話で、一般庶民には無理なことです。木綿のワイシャツもありますが、少しくだけた感じに見えてどうも、という年配の方がいるかもしれません。しかたがないので、せめて肌着だけは木綿か絹のものにしてください。絹といっても肌着ですから、着物の裏地とか使い古しのものを適当に縫い合わせてランニングのようなものを作ればいいのです。私も試してみましたが、非常に具合のいいものです。

そして、肌着は長袖よりは半袖、半袖よりはランニングのほうがいいのです。なるべく腕はだすようにしてください。

ですから、ワイシャツでも、許されるなら腕まくりをしたほうがよいのです。よく仕事に熱中してくると腕まくりをしますが、これは集中して頭に血が昇るので、腕を冷やして少しでも頭寒足熱の状態になろうという、体の無意識の働きなのです。

また、袖口もカラーと同じで、少し大きめのものを着れば、ちゃんと着ているようでも腕まくりをしているのに近い状態になります。

手袋はしてもいい

腕はなるべく露出すること、と書きましたが、手袋はしてもかまいません。気のめぐりでは手首が一番上になって、手首から先はまた別なのです。手首まではかぶらないような、短めの手袋をしてください。これは男性でも女性でも同じです。

ついでにいうと、手首でも右の手首を冷やすのがいちばんいいのです。万歳をして、左の足で立つと右の手首がいちばん上になりますが、左の足首をいちばん温かくして、右の手首をいちばん冷やすというのが、頭寒足熱がもっともうまくいくという実感があります。これが右足を温めて左手首を冷やして、というよりも具合がいいというのは不思議ですが事実です。

積極的に手首を冷やすのには、たとえば木綿や絹の布切れを少しぬらして、腕輪にすると気分がいいものです。別に冷蔵庫で冷やしたりしたわけではなくとも、何だかスーッとして、熱が逃げていくのがわかります。女性でしたら、ブレスレット代わりにきれいな布地を選んで楽しむこともできます。夏はこれでずい分涼しくすごせます。冬は、絹をぬらさないで巻くと毒がでやすくてよいのです。

帽子のいらない髪型の工夫

本当は帽子は頭から熱が抜けていくのを邪魔するのでかぶらないほうがいいのです。日陰を作るという意味ではいい面もあるのですが、通気性がないので結局いけないものになっています。

そこで、髪型を少し工夫して、少し長めに伸ばし、ポマードで固めたりしないで、ふわっと立っているようにするといいのです。サラリとした髪で、頭にフタをするのではなく、頭に日陰を作るようであればいいのです。

(5) 老　人

下駄よりも靴を

下駄も女性のサンダルと同じで、露出度が高いのですすめられません。やはり靴のほうがよいのです。地下足袋も、歩きやすくていいのですが、指がわかれているために靴下を重ねてはけないという難点がありますので、やはりすすめるほどのものではありません。何か作業のときには動きやすいので地下足袋にして、作業が終わったらすぐ靴にはきかえて靴下の枚数を増やすのがいいでしょう。

和服と洋服

ふだん着に和服派と洋服派がありますが、洋服も女性ならばズボン派とスカート派に分かれまして、いちばんいいのが洋服のズボン派、次に和服派、最後にスカート派ということになります。和服のふだん着なら、下は前にも書いたように絹のズボン下をはいたりして、上はできるだけ薄くしてください。どうしてもスカートがはきたいという場合は、ナイロンのストッキングはやめて、靴下を重ねて厚ぼったいハイソックスなどを使うようにします。

しかし、どうしてもスカートがいいという人は、たいてい厚ぼったいのはみっともないからいやだというのです。非常に困るのですが、これは第3章で述べた傲慢の問題がからんでくるので、なかなか変わらないのです。みっともないと思われるのはいやだ、人に見下されたくないという傲慢なのです。私のところへくる年配の方でも、いつまでも治らないといって苦しんでいる人は、ストッキングとスカートで、まったくこちらの注意を守っていないのです。健康二のつぎのおしゃれ感覚にまどわされて寿命を縮めるよりも、頭寒足熱を守って結果的には寿命ものびるし、健康になって白髪も減る、小じわも目立たなくなる、というほうがよっぽど美しいと思うのですが。

4. 寝るときも休まず冷えとり

(1) 靴下をはいたままで上半身は薄く

寝るときにも靴下ははいてください。よく気持ち悪がる人がいるのですが、なればかえってぐっすり安眠できます。前にも書いたように、真綿の入ったキルティングの足ぶくろでも作ると、非常に具合のいいものです。

極端な場合は、夏ならばそうして足もとだけしっかり包んでおけば、あとは素っ裸でもいいくらいなのです。ついでに寝ゴザを敷くと、非常に快適です。

そこまでやる人はなかなかいないと思いますが、原則としては、腰から下にかける布団を、上半身にかける布団よりも一枚多くすると覚えてください。枚数は、そのときの体調や季節によって加減すればいいのです。

布団の素材は、木綿で結構です。化繊のものはあまり使わないほうがいいのですが、何枚かかける一番上にかけるのなら、それほど気にすることはありません。一番ぜいたくなのは、真綿の敷布団を使うのです。それに木綿のシーツか、麻のシーツをかけると、これは吸湿性がいいから体からでる湿気を吸いとってくれます。そしてかけ布団は真綿の布団を使うのが一番です。

カイマキは、東北地方など寒さの厳しい地方では使ってもしかたないという面がありますが、本当は肩は涼しいほうがいいのです。私も以前には肩が冷えて足がほてるという、体の狂った状態だったので、足を裸足でだしてカイマキを着て、ということをやっていましたが、体がまともになってくると足が冷たく肩が暑いようになってきたのでカイマキはやめました。冷えのひどい人は、カイマキでかえって状態を悪化させることも考えられるので、あまりすすめられません。

(2) 寝床を温める器具なら陶製の湯たんぽ

寝るときの暖房器具も、昔ながらの湯たんぽから電気毛布までありますが、冷えとりの点からいうと、熱源というものはなるべく自然なもののほうがよく、温度さえ高くなればいいというものではないのです。たとえば和鉄を砂鉄からたたらぶきでだすときは炭、しかも赤松の炭でないとうまくいかないといわれます。おそらく炭が燃えるときには、発熱以外にもいろいろなものが発散されて、それで鉄の具合がよくなるのだと思いますが、熱源と温めるものとの間にいわば交流があって、それでうまくいくという自然のしくみは、人工的なもので全部置き換えられるものではないということがいえるでしょう。

そこで、寝るときの暖房器具としていちばんいいのは湯たんぽ、しかも陶製のものなのです。プラスチック・ビニールより金属、金属より陶製ということになります。ただ陶製のものはお湯が漏るので、口をいつも上を向けておくように、とり扱いをちょっと気をつける必要があります。そして八分目以上の湯を入れないことです。陶製の湯たんぽは重いなどといってめんどうくさがる人がありますが、健康になるためにはちょっとぐらいのめんどうはがまんしましょう。

あとは電気あんかや電気毛布ということになりますが、足もとをしっかり包んでさえいれば、とくに暖房器具を使わないと寒くて困る、ということはなくなりますので、あまりこういったものに頼らないようにしてください。

第6章　食——正しく食べれば「腹八分目」は苦にならない

1．食べすぎのかげには冷えがある

食べすぎは、ふつうの医学でも禁じています。食べものにも体にいいものと悪いものがあるのですが、たとえいい食べものでも食べすぎれば害がでます。

第1章で述べたように、食べすぎると悪性のコレステロールが増えます。そのコレステロールは皮下脂肪となるだけでなく、血管内にもたまります。それが血管の壁の弾力繊維の間に入りこんで組織をもろくし、動脈硬化・動脈瘤・静脈瘤の原因となったり、血管内にたまって血管を細くしたり、血管壁があれて血液がそこで固まってしまったりして、血管の循環障害を起こし、ひいては内臓の機能低下につながり、万病の原因となるのです。

実は、この万病の原因というべき食べすぎにも原因があります。それが冷えなのです。

冷えがあると、まず、内臓にゆく血管が冷えて縮むので、それで充分血がこない状態になり、内臓の具合が悪くなるのです。

ことに、その中で消化器の具合が悪くなる。すると、こんどは食欲自身が狂ってたくさん食べないと治まらなくなるのです。それで食べすぎる。ですから、まず食べすぎないように腹八分目を心がけて、同時に冷えとりをしていれば、だんだん体が正常に戻ってきて無理に食べなくともつらいことがなくなるし、食べもののよしあしもわかるようになります。

食べすぎ防止法　食べすぎをしないためには、まず準備する食事の量を最初からこれまでの二、三割少なくしておいて、足りなくなったら足りないままで、その食事を終わればよいのです。

主婦は残りものを片づけるために食べすぎになりやすいので、こうして少な目に準備しておけば、残り物が減るので食べすぎることが少なくなると思います。

また、どの健康法でも「健康のためには、ゆっくりとよく噛んで食べること」と教えていて、「急いでガツガツ食べよ」と教えているものはありません。

急いで食べると、満腹感を感じたときにはもう二割ばかり食べすぎになっているのです。速度をだして走っている車は、ブレーキを踏んでもすぐには止まらないのと同じことです。

よく噛んで、口の中でトロトロになって、のみこもうとしなくても自然にのどに入ってゆくような食べ方をしていると、必要量を食べたころ、満腹感（「もう食べたくない」という感じ）が現れます。そこで食べるのをやめれば食べすぎにはなりません。

食事の前から気がすすまないときは、その食事は抜かせばよいのです。三度三度キチンと食べなければいけないというのは、まちがいです。

この正しい食べ方になれてくると、食べてはいけないものを食べようとすると「食べたくない」という感じで体を守ることができるようになります。

それから、一日に同じ量の食事をしても、あまり間をあけないでダラダラと食べるのと、二度か三度に分けて、その間は何も食べずに空腹の時間を作るのとでは、有害度がちがいます。ですから、子どもの「おやつ」なども量と回数をきめて与え、ほしがるたびに与えることは慎しむべきです。ダラダラ食いは精神的にも、たるんだ状態を作るのでよくありません。

食べなければ力がでないか？

「食べられなくなったら、おしまいだ」とか、「食べなければ力がでない」などといって、病人に無理に食べさせようとする人が多いのですが、消化器が弱っていて消化・吸収できずに、体のほうが負担をかけられるのを拒否しているのに、無理に食べさせるのは有害です。

しかし、ダイエット中の人などが力がでなくなったり、だるかったり、ひどい場合は低血糖を起こして「けいれん」までするようになることがあるので、やはり食べなければ、と思われているのです。

やせ衰えている人でも、皮下、骨髄の中、その他の場所に案外脂肪が貯えられていて、食べなくてもこれがエネルギー源になりますし、それも少なくなってくると蛋白質もエネルギー源として使用されることは西洋医学で証明されているのです。

では、なぜ力がでないのか、というと、「食べなければ力がでない」というまちがった考えにとらわれているために、脂肪や蛋白質を充分にエネルギー源として使用する機能が働かないからなのです。たとえてみれば、財布には一〇円しかないけれど貯金は一億円持っているようなものです。貯金をおろしてくれれば生活には困らないのですが、印鑑もキャッシュカードも通帳までも紛失してしまったら何も買えなくて餓死しなければなりません。

「冷え」で食欲が狂っていたり、まちがった考えのために体の機能が狂っている人は、これに似た状態なので、三度三度食べないとだるくなり、その結果食べすぎになるのです。

心の持ち方がこんなにも体に影響するのか!? と思う人も多いと思いますが、このことはソ連の生理学者パブロフの有名な実験によって「条件反射」という現象として証明されています。

2. 冷えとりによい食べものの選び方

(1) 食べものの毒はコレステロールだけではない

冷えがあると血のめぐりが乱れるだけでなく、陰陽の気のめぐりといったものが乱れて不健康になるのだということは、第1章で述べました。食べものが体に害をおよぼすのも、今まで述べてきたコレステロールだけではありません。

これまで「冷えや食べすぎで毒がたまる」という言い方をしてきましたが、たまるのはコレステロールのように検出可能なものばかりではありません。これが毒だという物質的なものでなく、機能検査などで数値の得られるようなものでなくとも、いわば内臓の機能低下がたかまっていくのです。

つまり、血行不良で内臓の機能が落ちていく中で、体を正常な状態に保とうとして、体中にいろいろな無理がかかる。こういうときにはいわゆる自覚症状も他覚症状もないまま、五臓六腑にどんどん負担がたまっているのです。そしてその機能低下がある限界点を越したところで、はじめて目に見えるような、検査してわかるような病変がでてくるということなのです。

ですから、たとえばコレステロールにだけ気をつけていても、完全に健康にはなれないのです。食べものの選び方、食事のしかたにはもっと全体的な原則が必要なのです。

(2) 産地・農法・加工度・旬に気をつけよう

食べものを選ぶときに一番基本となる原則は〝**身土不二**〟といわれているもので、なるべく自分の土地でとれたものを食べたほうがよいということなのです。

京都のほうでは三里四方のものを食べるといいます。自分の所のものを食べて、よその土地のものや外国のものは時たま食べる。かくしあじという形でからだの鍛練になるから、時たま少し食べるのはよいのですが、常用するというのはよくないのです。

この〝身土不二〟という考え方の底には、人間も自然の一部だから、あまり変わったものが急激に入ってくるのはよくないという考えがあります。自然の一部としてできている体の中に、あまり異質なものが大量に入ってくると、どうしても無理をしてそれまでの状態を保とうとすることになるし、ひどくなれば病気となってでてくるということです。かといって全然入ってこないのもよくない。少しずつ時どき入ってくるのが一番いいということです。天然繊維のほうが化繊よりいいというのも、人間が自然の一部であるからなのです。

ただほかの生物と人間のちがうところは、自然と人間には対立する面があるという点です。自然の一部でありながら、そこはちょっとちがう。

ですから、他の生物は自然のままで暮らして、それですんでいるのですが、人間だけは一〇〇パーセント自然のままではいけない。少し自然と対立する部分があって、自然を改造するといった人工的なものがある程度はいるのです。そういう人間からの働きかけによって、自然そのものも進化していくのです。

この、対立するものどうしがあって、それでおたがいにもみあいながら進化していくという考え方は、弁証法と呼ばれているものです。

農法もあまり人工的なものが入るとよくないので、農薬・化学肥料はつかってないもののほうが良い。ですが、これもちょっと使うというのは良いと思います。まるっきりなしというのも、私はちょっと疑問があると思います。「かくしあじ」程度に適当に使えばいいのですが、今は使いすぎです。

農民自身が、親父より長生きできるだろうかといいながら使っているのですから、ひどいものです。

ですから、同じ加工食品といっても、**昔からの手づくりのものはいい**のですが、人工的になりすぎて、工業製品のようになってしまうとよくありません。

たとえば豆腐やかまぼこは昔からある加工食品ですが、現在工場でオートメーションで作っているものは、食品添加物・化学薬品漬けで、それが人体に悪いことはもうずいぶん常識化しています。

そのままでは食べられない大豆を、味噌や豆腐にして食べやすくする、様ざまな味わい方を創りだすということは、人間が自然に働きかける素晴らしい知恵ですが、人工がすぎると自然も台なしになるし、人間自身もおかしくなってしまうのです。

それから、**旬《しゅん》のもの**を食べようということです。果物もからだにいいから食べろ食べろといわれるのですが、今売られている果物はまだ完全に熟れないうちにとって、ムロやなにかで熟成させます。これはあまりよくないのです。

果物が熟しておいしくなるのはなぜかというと、おいしくなって、食べてもらってその種をまいてもらいたいということなのです。だから種が熟さないうちにとられると困る。不自然なときにとらないで、食べごろのときにとってもらいたいのです。それからはずれると果物が怒ります。

そこで、果物に限らず、あまり促成栽培とかハウス栽培で作った時期はずれものは食べないほうが良いのです。時どき食べるという程度のかくしあじとして食べるのが良いので、ふだんしょっちゅう食べるということはよくない。

冷えがあると本能が狂って、これら食べものの原則からはずれたものでも平気で食べてしまいます。そして一見なにごともなく暮らしているのですが、この間にも内臓の機能低下は限界点に向かってどんどん進行しているのです。病変がでてきてからあわてたりしないように、意識して、正しい食べものの原則にあったものを食べるようにしてください。

(3) 温める食品と冷やす食品がある

産地・農法・加工度・旬といった原則とは別に、食べものには体を温める食品と冷やす食品があります。食事は前者を中心にしてください。割合は、温める食品を全体量の九五～九六パーセント、冷やす食品を四～五パーセントが望ましいものです。

食べものが体を冷やすとは

食べものが体を温めたり冷やしたりするということは、熱いスープと冷奴というようなちがいではないのです。料理の温度ではなく、食べものの性質として、体を温める作用をするものと、冷やす作用をするものがあるということです。だから熱いスープでも、体が冷えてしまうことがあります。

これは少しわかりにくいのですが、冷やす性質の食品は、陰陽の気のめぐりのうち、陰の気を増やすということなのです。陰陽は二重ラセンですから、どちらか一つだけというわけにはいかないのですが、人間の場合は比率としては陽の気が多いほうがいいのです（陽七陰三の割合）。食事も温めるものが多く、冷やすものがちょっと入っているというのが具合がいい。これは、体験的にそうだというよりしかたがないと思います。

この点については、桜沢如一氏の陰性食品と陽性食品という食養法がほぼ私の考えと一致します。しかし桜沢氏は食品・体質の陰陽という見方なので、冷えという考えが入ってこない。食べものだけでは、冷えからくる病気をすべて防ぐことはできないということです。このほか酸性食品、アルカリ性食品、という分け方もありますが、あまり細かく分けすぎると、混乱するだけで実効がありませんので、温める食品、冷やす食品とだけ分類し、冷やす食品は「かくしあじ」程度（全体の四〜五パーセント）食べればよいと思います。

食べものの見分け方

温める食べものと、冷やす食べものの見分け方について、表にしたがって解説してみましょう。

表3　温める食べものと冷やす食べものの見分け方

	温める性質の食品
水面下に生えるもの	主として海藻類
地面の下に生えるもの	根菜類（ごぼう・大根・にんじん等）、いも類（さつまいも・里いも・山いも・じゃがいも等）、ねぎ・にら類の根（白い部分）
豆類	大豆・小豆・えんどう豆等
きのこの軸	（笠は冷やす性質があります）

干したもの（機械干しよりは日干しのほうが良い）	乾燥野菜・干魚・干肉・干きのこ
発酵食品（酒類は別格で冷やすものに入る）	みそ・しょう油・納豆・酢・ぬか漬け・チーズ・ヨーグルト
加熱調理したもの（燻製を含む）	菜っぱ類その他（煮る、ゆでる、蒸す、炒める、炒《い》る、揚げるなどしたもの）、緑茶・麦茶・ごま
塩を加えたもの	塩漬け、みそ漬けにした野菜・魚・肉等
重石で圧力を加えたもの	漬けもの
精白、精製しないもの	玄米・玄麦・粟・ひえ・天塩・粗糖

（注）　加工食品（みそ・しょう油・漬けもの・チーズ・ヨーグルト等）は添加物（防腐剤、着色料、甘味料など）が入るので、温める性質が添加物の冷やす性質に負けて、本来の作用をしませんので、無添加ものを食べるようにしてください。

冷やす性質の食品

人工的に精製したもの	白米・精製漂白小麦類・精製食品・白砂糖・化学調味料・防腐保存料

動物性脂肪	動物性蛋白質は加熱すれば温める性質に変わりますが、脂肪はだめです。乳脂肪（バター）も同じです。
地面の上にでている植物	菜っぱ類・果物類
嗜好品	酒・たばこ・香辛料

水面下、地面下は日光（陽の性質）に反した冷える場所であるためか、そこで育つものは逆に陽の性質、温める性質に傾くようです。地面下でも、深く地中へ向くもの、たとえばごぼう、大根などのほうが、横にねるもの、さつまいも、栽培した山いもなどより強いとされています（自然の山いもは、地中深くを向いているので、温める性質が強いのです）。

海藻は消化、吸収されないので、栄養学的には注目されませんでしたが、最近、強い酸（胃酸等）に会うとカルシウムを放出し、強いアルカリ（小腸内の腸液等）に会うと周囲のナトリウムを吸着することが知られてきました。つまりカルシウムを補給し、高血圧の原因といわれているナトリウムを減らしてくれるのです。毎食必ず一つは海藻類を食べたいものです。

豆は畑の肉といわれるくらい良質の蛋白質を含み、植物油も含んでいます。豆および豆製品（豆腐など）はもっと多く食べるべきでしょう。

きのこの軸については、栽培椎茸を猿が荒しにくるそうですが、笠は捨てて軸だけ食べてゆくそうです。人間より賢いようです。軸は硬いので捨てる人が多いのですが、薄く輪切りにすれば食べやすいので食べるようにしましょう。椎茸の軸には抗ガン性があるのではといわれているので、捨てないほうがよいようです。

日に干すと、冷やす性質のものでも、その性質が減ります。精製塩、白砂糖なども、容器に入れたままで、一、二時間日光に当てるとよいのです。干魚、干椎茸なども機械干しのものが増えているので、改めて日に干すともっと、よくなります。

「ごま」はいろんな成分を含み、良質の脂肪酸を含みます。大いに食べたいものですが、その方法は、炒って「すりごま」にして、ごはんその他、食べものにかけたり、混ぜあわせたりして食べればよいのです。

発酵食品の中の「ぬか漬け」は、ぬかの中で乳酸菌が活動してビタミンCを作りだしているので、ぬか漬けを食べていれば、ことさら乳酸菌をとるために乳酸菌飲料を飲む必要はありません。

動物性の脂肪の害は植物性の酸（柑橘《かんきつ》類――ゆず・すだち・レモン等）が減らしてくれるので、肉、魚などを食べるときはこれをかけるとよいのです。焦げた焼魚の発ガン性をおさえるという話もあります。

生野菜、果物などの害は、塩が緩和してくれるので、食べるときは塩を少しつけるとよいのですが、血圧が心配になります。またその害は、アミノ酸が弱めてくれるので、塩とアミノ酸が共存している食品、つまり、みそかしょう油を少しつけて食べるとよいのですが、みそは少しつけるというわけにゆきませんので、しょう油がよい、ということになります。

主食――ごはんとパンについて

食べものによる健康法や料理の本は、桜沢氏のものをはじめたくさんでていますから、毎日の献立を考えるときはそうした本を参考にしても結構です。ただ、そのとき、右に述べた注意点、相違点には気をつけるようにしてください。ここでは毎日たべる主食について二、三述べます。

ごはんのときは、玄米の方が白米よりも良いのです。米へんに白と書くと粕という字になってつまり白米とは米のかすを食べているともいえるのです。このごろヌカを食べるといいというので、わざわざ買って食べている人がいますが、はじめからおとさなければいいのです。

玄米が食べにくいという人は、七分づき（胚芽米）、それから五分づき、そういうものにする。これは人工的に加工・精製をしすぎたものはよくないという全体食の考え方からきています。

それから麦とアワ、ヒエもいいものです。ヒエはなかなか手に入らないのですが、アワならまだボチボチ手に入ります。麦はつぶしたものが売られています。こういうものを、白米を食べるときでも、一割ほど混ぜると食味の点でもあまり苦になりません。白米に麦・雑穀を混ぜていただくと良いということです。

玄米はポツポツして食べにくいからといって、圧力釜を使う人がいますが、これはあまりよくありません。それよりおかゆにしたほうが良いのです。おかゆも、ふつうのやり方だとポッポッするから、大豆を煮るようなつもりで落としぶたをして、コトコト煮るのです。それでも一時間かかりません。そして煮豆みたいにずっと煮つめていって汁がなくなるところまでもっていくと、ごはんとそう変わらない食べやすいものになります。一粒ずつかみくだくつもりでよくかんで食べると玄米飯は食べにくくはありませんので、これがおすすめです。

こうしてほかのものを混ぜないで玄米だけの食事だと一日一合でちょっと多く感じるぐらいです。この玄米がゆは行平《ゆきひら》という深い小さな陶器のなべでやると具合がいいのです。

圧力釜でたくとまずいというのは、圧力釜は高圧になっていろんな成分がこわれやすいということなのです。やはり一〇〇度までと一〇〇度以上とで食物成分のこわれる限界みたいなものがあるようです。その結果味もあまりよくないし、それから感じが悪くなります。

最近玄米もたけるという電気炊飯器もありますが、これは炊事の熱源の問題になって、本当はまきが一番良いのです。天然のものが良いのです。それでどうしてもだめなら石油とかガスとか、それから電気、電子レンジというようにだんだん悪くなる。人工的になるほど悪くなるのです。

寝るときの暖房器具のところでも書いたように、熱源というのは温度さえよければいいのではないという考えで、こうなるのです。たとえば、ウナギの蒲焼きをやるときはいいのを焼こうと思えば、うばめがしの炭じゃないとというようにです。

とはいっても経済的・時間的な制約もありますから、自分の暮らしの許す範囲で、素材も調理法も少しでも良いものへ近づけるよう努力を心がけてください。そういう努力を続けていれば、食べているものが万全でなくとも、あまり害はでないのです。

パンの場合は、原則に従って国産小麦を使い、防腐剤などの入っていない無添加のものがよいのです。最近は自然食品店などでもそういうものを置いてあるところがでてきました。私のところでも、無添加の国産小麦入りパンを扱っていましたが、そのパンを作っている工場で面白い話がありました。普通のパンだと三日も外においておくとカビがはえてくるのですが、そのパンだと夏場でもだいたい一週間は、はえないのです。一方は防腐剤が入っていてもはえる。こちらは、はえない。このパンを作ってもらうときに、塩も砂糖もふつうの食パンに使う量の六割にしてくれと頼んだのです。

すると工場長が、そんなことをしたらカビがはえやすいというのです。塩を入れるのは一つはカビを防ぐためであると。ことに無添加ですから防腐剤も何も入れてないので、なおさらカビがはえやすいし、それからネバネバして手にくっついて仕事がしにくいといわれたのです。それでも、とにかくやってみてくれとお願いして、ただパン種を発酵させる部屋にサワラの板を二枚たてかけてやってみてくれと指示したのです。とにかく試しにそれでやってみると、なぜだか発酵の具合が非常によい。そしてネバついて仕事がしにくいとか、塩が少ないのでカビがはえやすいということが全くないのです。それで、今ではその工場では減塩・減糖の無添加国産小麦入りパンを作ってたいへん好評になっています。これも、理屈はよくわからないのですが、温度とか塩分濃度とかいった目に見えるものだけでなく、素材と製法や作る人との間には、目に見えないいろいろな交流があって、それを人工的なものですべてカバーするのは、無理だということでしょう。

〔付〕 サワラの「木の精」のようなものは、発酵に良い影響を与えるので、パンのほか、みそ・しょう油・納豆などの製造室にも置くとよいのです。杉は蒸したり煮たりする所によいので、この工場では蒸しパンを作る所に杉の板を置いてから味や香りがよくなって、売行きが伸びています。麺類には檜がよく、寸法はいずれも、厚さ、幅一センチ以上、長さ五〇センチ以上のものがいいようです。

現代栄養学について

この章ではカロリー、ビタミン、蛋白質等々、栄養学でやかましくとり上げられている言葉がでてこなかったことを変だと感じた人がいると思います。

私は今の栄養学は余り気にしなくてもよいと思っています。なぜならば、禅宗のお坊さんたちの食事は、栄養学的に見るとカロリーもビタミンも脂肪・蛋白質なども明らかに不足していますが、皆さんお元気できびしい修行や肉体労働（作務）にはげんでおられます。

これまでの話でもお解りのように、「冷え」のためにほとんどすべての人は心身共に病的状態にあるのですが、栄養学は、その「病人」から集めたデータをもとにして、カロリーその他のものの必要量をだしているので、まちがいがあって当然なのです。栄養学は観点を変えて一からやりなおしてほしいと思います。

第7章　住――冷えない家が住みやすい家

1. 空気のお風呂をかきまぜる

私たちはいつも空気のお風呂に入っているようなものです。冷房や暖房をすると、上のほうが温かく下のほうが冷たくなります。これは湯をかきまぜないでお風呂に入っているのと同じ状態です。頭寒足熱の原則とは反対になり、健康によくありません。

いちばん簡単なのは、扇風機と冷暖房を併用して部屋の空気をかきまぜることです。夏にクーラーを使っているときは、下の冷たい空気が上にいくように、冬にストーブを使っているときは上の温かい空気が下にいくように、夏は下に向け冬は高い所に置いて上に向けて、首ふりにしながら扇風機を使うといいのです。部屋が多少手ぜまになりますが、扇風機一台分のスペースくらいは健康のためと思って作ってください。よく冷房・暖房を使うとどうも気分がすぐれないという人がいますが、そういう人はとくに冷えの強い人で、上の方が暑くて下が寒い状態に敏感になっているのですから、部屋

図12　空気のお風呂をかきまぜる

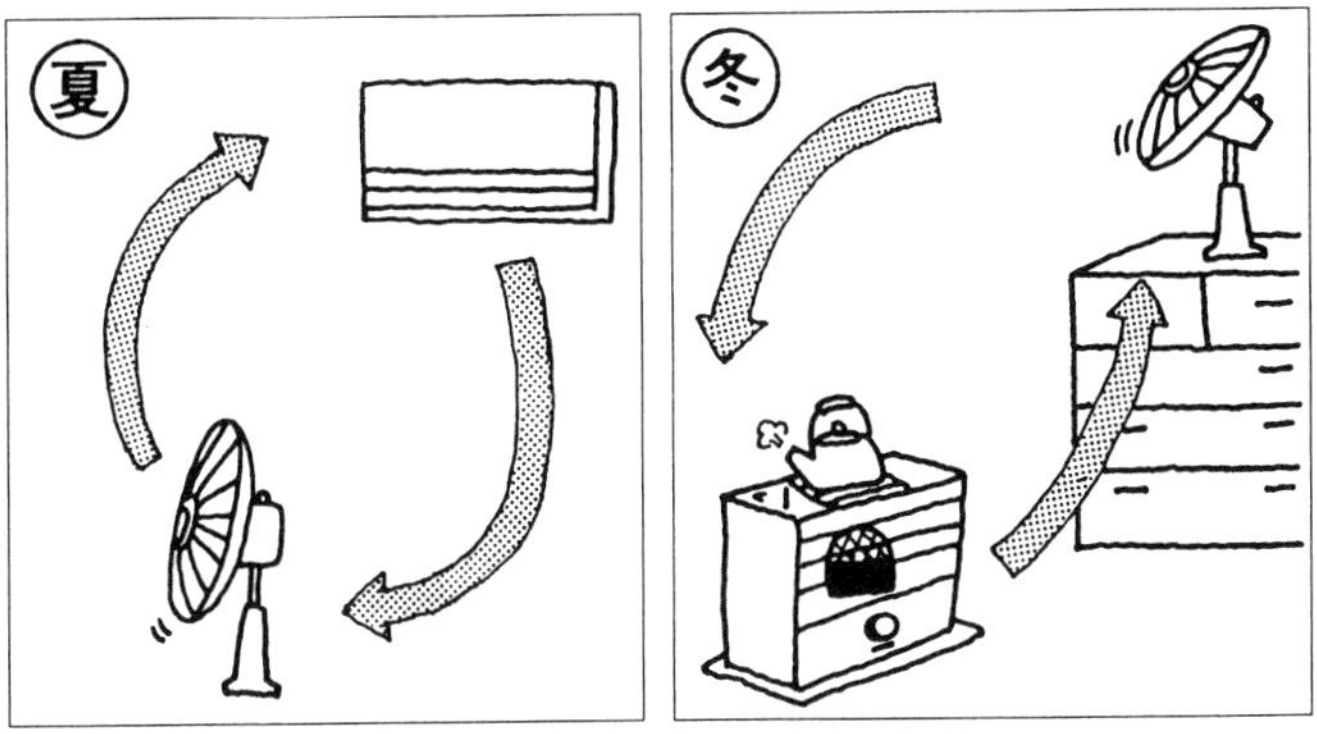

の空気をかきまぜることはとても大切です。

それから、機会があれば部屋の改造のときなどにやるといいのが、はきだし窓と欄間をあけるということです。これは、操体法で有名な橋本敬三先生のご子息の建築家橋本承平先生がすすめられていることです。はきだし窓と欄間をあけると、下のほうへ入ってきた冷たい空気が部屋の中で温まって上からでていくということで、水平方向への風通し（通風）と、ほかに下から上へグルグルとまわる換気との二つがないとよくないということなのです。

また、夏は冷房をしてない家では、戸を全部開けると今度はプライバシーが守れないということで、欄間・はきだし窓はその点からも、あれば便利なものです。

2. 日本の風土と冷えの関係──湿気に注意

健康の面から言うと、乾きすぎるのも、湿気がありすぎるのもよくないのですが、日本の場合は、過乾燥の害ということはまず考えられません。スペインからきた人が感心していたのですが、スペインの山は赤茶けた地肌がむきだしの山ばかりなのにくらべ、日本は緑ばかりだというのです。確かに、中央高速道を走っていても、赤茶けた山にいきあたることはほとんどありません。もっとも最近は、山も開発されて住宅地にされたりしていますが、風土からいえば、日本は湿気の方により注意すべきなのです。

湿気がどんどん上がってくるような所、たとえば田んぼや湿地の埋め立て地といった所は、湿気が蒸発するときに蒸発熱を奪うので、当然足もとの方から冷えてくるということになります。

ですから、木造土壁という家屋の材質は日本の風土に合っているのです。木も土も湿気が多いときは吸いとってくれるし、乾いたときはだしてくれます。畳も、断熱効果があって床下の冷気を防いでくれますから、足もとの冷たさが、板ばりだけとはまたちがいます。ただし、最近出まわっているプラスチック製の畳はよくありません。

これら家屋の材質というのは、個人の力ではどうにもならないこともあるのですが、自分の住居の何が健康によくないのかをしっかり理解して、自分でできる冷えとり法を創意工夫してください。たとえば鉄筋コンクリートの場合は、非常にジメジメして冷えやすいということはよく皆さん体験していることです。とくに新築の場合だと、コンクリートを水で練ってまだ間もないですから、ことさらひどくなります。そういう場合に、冷えるからといって暖房を最強にするか、靴下をしっかりはいて扇風機も使って暖房の日盛は弱で間に合うようにするかで、病気になるかならないかが分かれてきます。

このほか、できれば家具やお風呂の素材も天然素材がいいのですが、これらはあまり神経質になるほどのことはありません。

3. 車の冷暖房の使い方

車の冷暖房は、機械を使うしかないので熱源は選びようがありません。暑いときは窓をあける、寒いときは靴下を多めにはくというようにして、なるべく機械を使う時間を短かくしたいのですが、使うときには頭寒足熱の状態になるようにしたいのです。

これは車の種類によって分かれるのですが、冷房は上の方へ吹きだして、暖房は足もとへ吹きだすように調節できるものがいいのです。暖房が上へ吹きだすものだと、頭がボーッとするくらい暖房をかけているのに、足もとは寒くてガタガタふるえる、ということになって、非常に危険な状態になります。

こういうときの工夫としては、たとえば私がやったのは掃除機のホースを買ってきて、吹き出し口のところにとりつけて、シートの下をはわせて、後部座席の足もとに暖房がいくようにしたことがあります。吹きだし口はわりあい大きいので、ホースをつけてもまだスペースがあって、前の座席にもちょうどいい程度の暖気がまわり、具合がよいものでした。よく暖房をかけていても後部座席まで暖まらず、運転者はのぼせるくらいなのに、後ろに乗っている人は足が冷たくて毛布をかけていることがありますが、そういうかわいそうなこともなくなります。

第8章　生活――動・息・想が乱れている

以上みてきたような衣食住のまちがいのほかにも、日常生活の中で動（運動不足）・息（呼吸のしかた）・想（心のもちかた）の乱れが目につきます。これらは、無意識のうちに乱れていることが多いのですが、住居のように変えようがないというものではありません。

1. 動――運動不足は運動では解消できない

(1) ジョギング・マラソンより家そうじ

現代人が運動不足であるということは、よくいわれています。少しの距離でもすぐ車・電車・バスを使い、階段を使わずにすぐエレベーター・エスカレーターに乗ってしまうという具合です。そこで運動しよう、体を動かそうということがいわれます。

冷えの点から見ても、運動することは確かによいことです。運動をすると足をよく使うので、頭に

昇っている血が足もとへいく、足もとが温かくなるということで、冷えがとれやすくなるのです。それと、汗と一緒に病毒が排出されるのでよいのです。

ただ、「冷えをとるため」とか「やせるため」「運動不足解消のため」という目的のためだけに運動をするのは、効果が少ないのです。いくらジョギングやマラソン、エアロビクスをしても、シューズ代や体操着やコーチ料ばかり出費が重なって、効果は思わしくないという人が多いのです。それよりも、家の中で体を使って、やるべき仕事をおっくうがらずにやるほうがずっと効果的です。はきそうじ、ふきそうじをこまめにやればかなりの運動量になるし、家もきれいになって家族も喜ぶし、そしてお金も時間もかからないという具合にいいことずくめなのです。

ただ、運動が片寄るとよくないという問題があります。片寄ると一方が暑くなって一方はそのまま冷たいということですから、右ききだからといって右の手ばかりを使わないで、左の手も使ってみるのがいいということです。極端な言い方をする人は、歯をみがく時に左の手で歯ブラシを使うだけでも背骨の曲がりが治るといいます。これは運動の片寄りのために内臓が悪くなって、背骨がゆがむわけなのです。だから、片寄りを治すと、内臓が治ってきて、背骨のゆがみがなおるというのです。そうしていろんなことを左手でもやると、不幸にして右手をケガした時でも助かりますので、そういうことを日ごろから心がけておくといいでしょう。

(2) 体力と健康は別のもの

家事仕事をしているぶんには心配ないのですが、運動不足のためにことさら運動しようとすると、今度は運動過多の害がでてきます。先日も整形外科学会で、エアロビクスのインストラクター（指導員）は、八割ほどが関節障害を持っているという報告がありました。教えられる人は短時間なので、運動効果があがらないだけ、またお金はかかるだけですが、教えるほうは一日中教えているので、運動過多になって障害がでてきてしまうのです。

ここで一つ気をつけてほしいのは、世間的に体力と健康を一緒くたにしているということです。体力さえあれば健康だと思うのはまちがっているのです。たくさん運動して体力をつければ健康になれるわけではないのです。てきとうに運動していればいいので、それ以上無理にやらなくてもいいのです。その証拠に、スポーツマンには病人が多い。すもうとりなんて病人だらけです。ひどい場合にはサポーターとばんそうこばっかりのがでてくる大相撲の場所があります。ですから、あれは体力はあるけれども健康じゃないわけです。ここのところのまちがい、誤解をしないようにしてください。

(3) 下丹田を中心にして動く

運動不足を解消するなら、日常生活の中でおっくうがらずに動くことです。そのときにもちょっとしたこつがあって、下丹田《げたんでん》という点を中心に身体を動かすと、楽だし運動効果もあがります。

下丹田とは　「丹田」というのは、中国の仙術やインド医学にでてくるのですが、生命力の貯蔵所、生気のたまる場所といった部位です。上中下の三つがあって、上丹田が額の、仏像でいえば白毫《びゃくごう》のところ、中丹田が胸の左右の乳首を結ぶ線のまん中です。下丹田は、へその少し下のお腹が一番ふっくらと高くなっているところ（へそから指二、三本分下）にあるのです。ここは、人間が両手両足を広げて立つとX字状になる、そのXのちょうど中心点になるのです。体を動かすときは、この下丹田を中心に動かすといいのです。

下丹田など体の中心部は、動きは遅いが力があるのです。一方、足の先、手の先などは、動きは速くても力がないのです。だから動作を起こすときに、力のないところから動いても疲れるだけになってしまいます。下丹田をまず動かせば、力がはいるし、体の中心はゆっくりと動いても、手や足の動きは充分速くなります。

これは、たとえば地球は二四時間に一回しかまわらないから、地球の中心にいると動いているかどうか分らないが、地表は赤道上なら二四時間で四万キロ回る、ということは時速一六六七キロ（音速の約一・五倍）になるのと同じです。だから手や足を早く動かしたかったら、下丹田を中心に体をねじればいいのです。

野球で、ピッチャーがボールを投げる場合も、まず下丹田から足を踏みだして速度がついている。そのうえ、上半身をやはり下丹田を中心にしならせながら腕を振るので、速いボールが投げられるのです。これをただ立ったままで手だけで投げようと思っても、ちっとも力のあるボールは投げられません。

図13　下丹田の位置

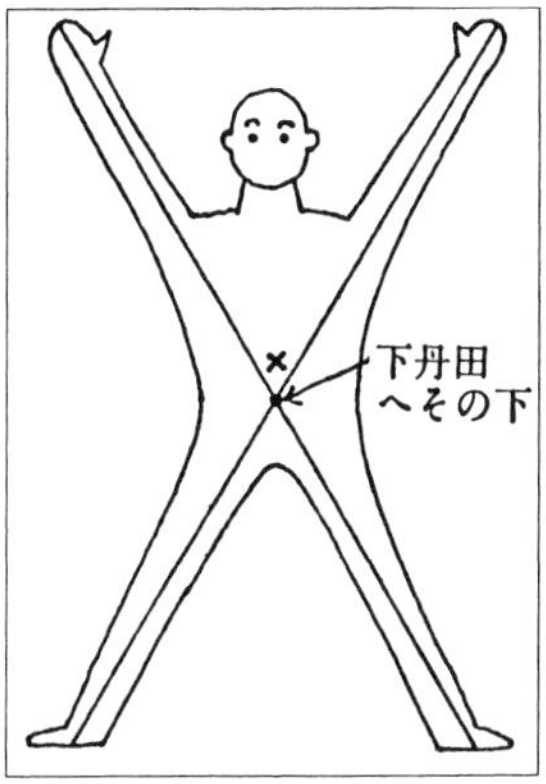

これは、すべてのスポーツ・武道でいわれることです。丹田を使え、するとゆっくりと動いてもスピードがあり、しかも力のある動きになる、と。

だから日常の動作では、たとえばものをふいたりするときも、手を左右に動かそうとするのではなく、手をあてておいて体を、下丹田を中心にゆする・ねじるのがいい。そうすれば手は勝手に動くのです。

歩くときも、階段を昇るときも、一段一段足を持ち上げていたのでは疲れてしかたありません。下丹田に力と気持ちを集中して、体をねじれば足は自然に前へでるのです。

下丹田を中心にして動くということは、直接体を温めるというわけではありませんが、末端のほうばかり動かすと余計な力を使って疲労するので、かえって少しの冷えでもすぐ調子をくずすようになります。下丹田を中心に、無理のない動きをしていれば、適度な運動になり、体の末端にも順調に血がめぐって、結果的には冷えによる循環障害を防ぐことになるのです。

尻歩きの効用　下丹田を中心にして体を動かす体操の一つに、「尻歩き」があります。これは、足を投げだしてすわった状態で、前後左右へ動くだけ、という簡単なものです。これをやると、足もとがものすごく温かくなるし、下丹田に力がはいるのです。

これは私の発案ではなくて、アメリカの霊能者であり治療家でもあるエドガー・ケーシーが考えだして、患者さんにやらせていた体操の中の一つなのです。これが一番有効だから、これだけやっていればいいというのです。これだと家の中でタタミ一枚の長さがあれば、それで充分行ったりきたりできます。

もちろん、何度もいうように、こういう体操も効果があるのですが、基本は日常ふだんの動作をおっくうがらずにキビキビとやる、ということを忘れないでください。ジョギングをするより、近くの商店街へ買いものにいくのに自転車を使ったりしないで、歩きにくいサンダルはやめてスニーカーかなにかでサッサと歩いていくのがいいのです。

ポケットに手を入れるな

人の歩き方に注意してみると、数年前からポケットに手をつっこんだまま歩いている人が増えてきました。

最初は寒さで手が冷たいからだろうと思い、それなら手袋をすればよいのに、それも面倒くさいのだろうか？　と思っていたのです。しかし夏になってもそのままなので、なぜだろうと考えていきついた結論は、あの人たちは働きたくないのだ、体を動かして働くのはいやだという潜在意識が手をポケットにつっこませるのだ、ということでした。

その日で観察してみると、こういう人たちは、おっくうがりの不精者で、奉仕されたいが奉仕するのはきらい、という気持を潜在的にもっているようです。

こんな格好で歩くと歩きにくいし、歩くことの効用も少ないし、その上つまずいたとき、手がでなくて顔面を直接地面にぶつける危険があります。事実これで脳底骨折を起こして植物人間になっている人もいるのです。

いつも手を外にだして、こまめに仕事をし、歩くときは腕を振ってからだ全体のつりあいをとってサッサと歩くのが健康のためになるのです。ノソノソ歩きでは、一日一万歩を歩いても意味はありません。寒ければ（気温一〇度以下）手袋をすればよいので（材質は何でも結構です）、手首がでてさえいれば「冷え」はとれるのでさしつかえないのです。

2. 息――現代人は息が浅い

(1) 息が浅いと毒がでていかない

体育の先生は、深呼吸といえば「きれいな空気を胸いっぱい吸いましょう」などといいますが、これはまちがっています。

呼吸という言葉は「呼」の字が先にきています。息をする最大の目的は、肺の内部の換気をして炭酸ガスなどの形で毒を吐きだすという点にあるのです。「きれいな空気を吸いこみたい」と思っても肺の中が毒でいっぱいになっていては吸いこむことができません。だからまず吐きだす必要があるのです。その排気がうまくできない呼気性の呼吸困難が、ぜん息であることは前に述べました。

しかし、ぜん息にまでならなくとも、現代人は全体の傾向として息が浅くなっています。具体的にいうと、換気の量が少ないのです。肺のふくらんだ状態と縮んだ状態の体積差が少なく、空気の出入りの量が不足しているのです。

人は、呼吸でまず炭酸ガスなど、体内の毒を吐きだします。そして酸素を吸う。酸素は燃やす素《もと》で酸素が燃えて温度が上がるのだから、冷やす毒をだして温める酸素をとり入れるのです。だから換気の量は大きいほどいいのです。息が浅いと、冷えがたまって、心も落ち着きません。

たとえば、頭に血が昇ったときは、深呼吸しなさいとよくいいます。これは正確に言うと腹式呼吸をしなさいということなのです。腹式呼吸の方が、胸式呼吸よりも息が深くなるのですが、現代人は見ているとほとんどみな胸式呼吸です。胸部は肋骨に囲まれているので動く範囲が狭く、腹式呼吸よりも「息が浅く」なるのです。それどころか、驚いたり、怖がったり、怒ったりすると「肩で息をする」という状態になります。こういうときはもう何も考えられないのですが、そこで深呼吸をすると落ち着くというのは、冷えの毒をだすことで、頭に昇っていた血が少し下がるということなのです。

図14　腹式呼吸と胸式呼吸のちがい

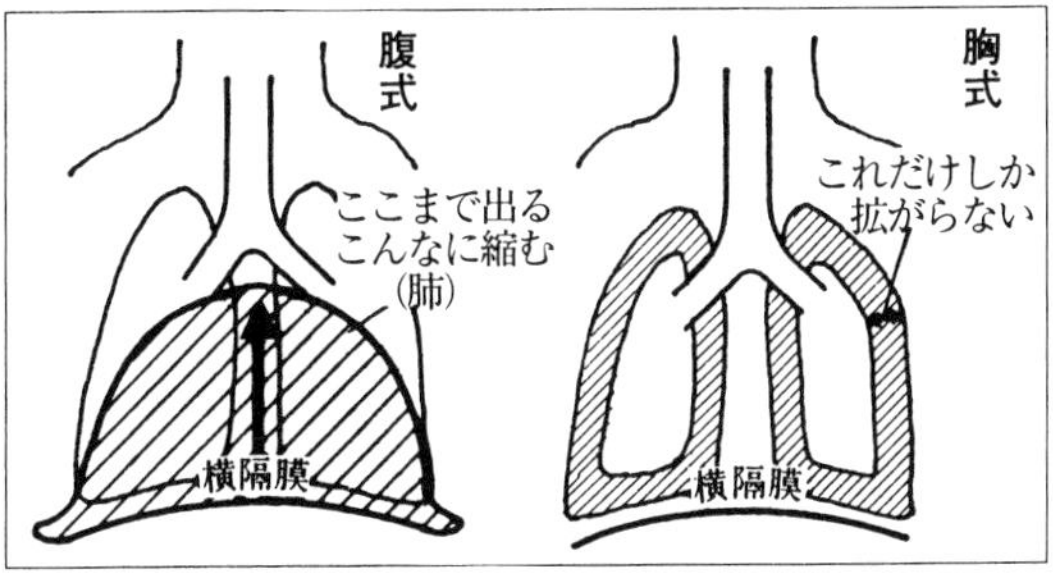

(2)　息が浅いとキンキン声になる

息が浅いと、しゃべり方にも差がでてきます。息の浅い胸式呼吸だと、声の共鳴する空間が少ないのです。すると、声に幅がないというか、深みや味がなくなるのです。楽器も、たとえば一〇〇〇ヘルツなら一〇〇〇ヘルツのままの音だと単純であまりおもしろくないのです。いろいろな音、様ざまな形の音波が入っていて、いい音色がでてくる。人間の声も同じです。胸部、のど、副鼻腔など、あっちこっちで共鳴するのです。口先だけでしゃべると、共鳴する場所がなくて、単純な音になってしまい聞きづらい声になってしまうのです。

反対に、深いところ——おなかでやると、共鳴する場所がそれだけふえるから、味のある深い声がでる。歌にしても、浪曲にしても、おなかから腹式呼吸で発声するのと、胸式で発声するのを聞いていると味がちがいます。オペラでも、腹式で発声しないとあれだけの声がだせないし、息も続かないのです。

たとえば、同じ歌手で浪曲出身の三波春夫と村田英雄がいますが、聞いていると、三波春夫のほうがわりあい気持ちのいい、響きのあるいい声をしています。村田英雄になると少し落ちる、というのは、村田英雄は胸式呼吸で発声するからです。腹式で、うまく横隔膜を使うと深いバイブレーションがかかるのです。ところがそれができない人は、アゴをふるわせてバイブレーションをかけようとする。最近はだいぶなくなりましたが、昔の北島三郎がその典型でした。アゴでバイブレーションをかけるのは、民謡の方では「歌を噛む」といって禁じられているのです。これをやると、非常にいやみなバイブレーションになるのです。

若いアイドル歌手は、やはり口先だけの発声で、薄っぺらいキンキン声になりますが、これは歌手でなくても、電車の中で若い女の子の話すのを聞いていると、みな胸式で息が浅く、口先だけでしゃべるキンキン声になっています。これは息が浅いということと、もう一つは幼児発声がいつまでも残っているということがあります。赤ちゃんのときから、人工栄養で哺乳ビン、大きくなっても加工食品の柔らかいものばかり食べさせられるので、アゴの骨が発達しないのです。すると舌のつけ根が狭いままなので、舌がどうしても前にでてくる。いきおい舌が前歯にくっついて、甘ったるい幼児発声になります。男性歌手でそれがはっきりわかるのが、ジュリー、沢田研二です。

幼児発声のキンキン声というのは、親が甘やかして楽な食事ばかりさせたからだし、胸式呼吸で息が浅いということなので、しゃべりながら「自分は精神的にも子どもだし、肉体的にも不健全です」ということを宣伝しているようなものです。反対に、腹式呼吸でしっかり声のだせる人は思慮も深くなるし毒もよくでて健康にいいということで、長生きができます。謡曲の先生やお坊さんは、一日中声をだして、腹式呼吸なのでわりあい健康な人が多いのです。

(3) 腹式呼吸の正しい方法

腹式呼吸は、いつでもどこでも、誰でもできる、お金も一銭もかからない健康法です。どんなときでも、おなかで息をするつもりで深い呼吸をするのが基本ですが、もっと効果のある腹式呼吸を身につけたいという人のために、少し詳しく説明しましょう。

図15　鼻からの息の吐き方

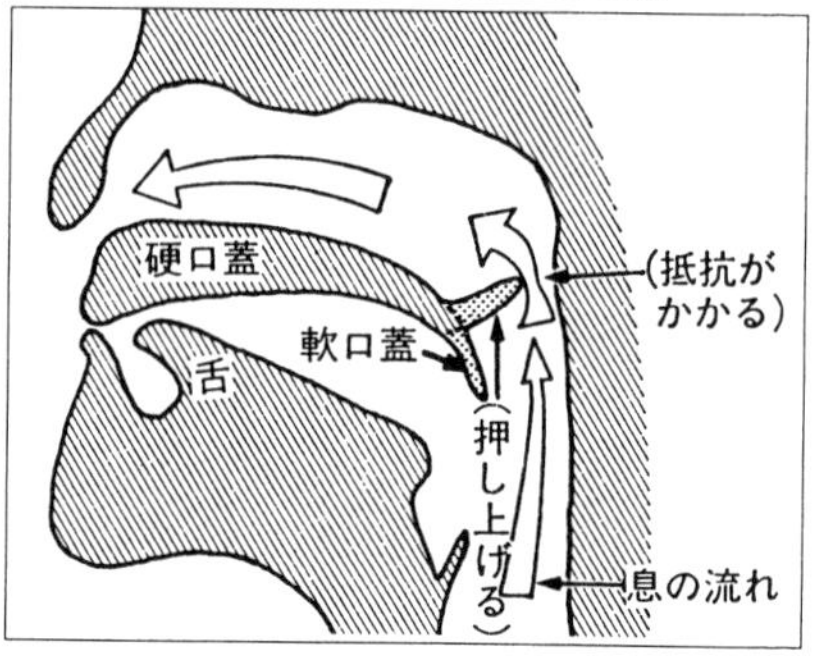

まず息を吐くときは、腹部（できればへその少し下の部分を中心に）をへこませてゆくと、息がでてゆきます。これは横隔膜が押し上げられて肺を下から押し縮めるからです。

なるべく長い時間をかけて、ゆっくりとへこめるだけへこませておいてから、力を抜くと腹部はもとにもどり、横隔膜は正常の位置まで下り肺が拡大して空気が吸いこまれます。吸おうと意識する必要はありません。

このやり方だと、肺の体積の差が大きいので「深い息」ができるのです。

横隔膜は、練習をすれば、かなり伸びるようになりますので「腹式深呼吸」を練習すると息が深くなり、排毒がさかんになって健康になります。

息をはくときに出口近く（声帯・口唇・軟口蓋等）に抵抗をかけると、毒をだす効率が高くなります。口笛を吹くように口をつぼめるとか、唄う、話す、唸る、などすればよいのです。

本当は、鼻から息を吐けるともっといいのですが、これは少し難かしいのです。鼻から息を吐くための訓練法としては、口蓋の後半分の軟口蓋を上げるのです。そこで狭くなると、のどごしの息が鼻のほうへ抜けるし抵抗もかかるので、これができるようになれば一番いいのです。

こうして息を吐いて毒をだし、次に息を吸うのですが、これは鼻から吸ってください。これは東洋医学でも西洋医学でもはっきりしていることですが、肺は乾燥と冷気を嫌うのです。吸いこんだ息に湿気と温度を与える必要があるので、鼻の中は入りくんでややこしい構造になっているのです。鼻の穴の中というのは、意外に面積が広く、そこで空気を温めるし、鼻汁が湿気を与えて肺を守っているのです。だから鼻で息を吸うようにしてください。

そして、吸ったらすぐ吐かないで、少し息を止めているのがいいのです。というのは、入ってきた空気がすぐでて行くと、ガス交換をする時間がとれないのです。それではもったいないので、息を吸ったら四つ五つ数えるくらい息を止めて、それから吐くといちばんいいのです。これはヨガですすめている呼吸法で、クムバクとかクムバハカとかいっているようです。

ぜん息の人は、とくにこの腹式呼吸法を練習し、いつもこれを実行していると発作が起こりにくくなりますし、発作のときも、苦しがって口をあけてハアハア息をしないで、がまんして、この呼吸をすると、呼吸が楽になり発作が早く終わります。

お釈迦様は、八〇数通りの呼吸法を使って病気を治されたそうですが、そこまでしなくても右のような呼吸法をひまのあるとき、とくに寝る前に床の上で一〇回ばかり毎日練習するとよいでしょう。

3．想――明るい気持ちで生活しよう

最後に想（心のもちかた）のまちがいですが、これはありとあらゆる場合に見られます。すべて我執（自分本位の想い）といえるのですが、それが大きく四つに分かれて傲慢・冷酷・利己・強欲となることは第3章で述べました。健康であるということは、心にこうした歪みがないから病気にもならないということですから、自分本位を捨てて心を丸く持ち、明るい気持ちで毎日をすごせることが、私たちの最大の目標といえるでしょう。

(1) わがままだけでは暮らせない

人でも動物でも、機械でも、完全なものはこの世にはないのです。それぞれにできることとできないことがあって、互いに補いあい、助けあいながら生活が成り立っているということは、少し考えればすぐわかることです。ところが、自分のほかのいろいろな人やものに助けられていると思う人は、少ないのです。

だいたい人ひとり一年間生きていくのには、二〇〇万人の世話になるといわれているのですが、たとえば、ごはん一杯食べるのにも、お米をこしらえた人、精米して運んでくれた人、肥料や機械を作

った人……と数えていくと、一年間に二〇〇万人ではおそらく足りないのではないかと思います。それに世話になるのは人間だけではないので、いろいろな品物の世話にもなっている。そうした人、ものに世話になりっぱなしというのはやはりよくないので、恩は返さないといけない。

ですから、自分のできることは一生懸命人にしてあげる、品物はそれだけの使命を持ってこの世にでてきているのだから、大事に使って機能をしっかり果たさせてやらなければいけないのです。そして、人のために何かをしても、してあげたなどとは思わずに、こちらも人の世話になっているのだから、それをお返ししただけだと考えて、報いを求めるようではいけない、ということです。お互いそうしていれば、あまり腹の立つこともないのですが。

ところが、みな自分本位で〝おれが、わたしが〟と思っているので、具合の悪いことが起こるのです。お金にしても、おれが稼いでおれが使うのが何が悪い、と考えがちですが、実は稼ぐのには自分もある程度がんばったろうけれども、まわりの人の協力があってこそ働けた、ということを忘れてはいけないのです。

一九八六年の、ソ連のチェルノブイリ原発事故も、ほんの数人が実験をしようとしてちょっとまちがいを犯した、それだけでヨーロッパのほとんど東半分に被害がでて、日本にも放射能の塵が降ってきました。ソ連のあの原発の周辺では、今後一〇年か二〇年すれば何万人かの甲状腺ガンにかかる人がでるだろうと予想されています。

そのほか日本でも、公害問題がたくさんありますが、科学技術が発達すればするほど、まわりの人や世界中の人のことを考えていないと何もできない、自分一人の力でやっているということは、いえなくなってくるのです。

自分本位で身を滅ぼすのを、私はよくカナヅチの水泳にたとえるのですが、カナヅチの人は浮きたがるので泳げないのです。水の上には鼻と口さえでていれば死ぬ心配はないのに、胸よりも下まで水からでていないと承知できずにもがいて、それで沈んでしまうのです。鼻と口だけでていればいいと思えば、人間の体はもともと水に浮くようにできているので、沈むことはないのです。

(2) 苦楽を楽しむ生活を

こうして自分本位を捨てることができれば、多少苦しいこと、つらいことがあっても、そのくらいは当然なんだとゆったり構えることができて、いちいち頭に血が昇ることもなくなります。

これまでも、人間の生命の気には陰陽の二つがあるということは書いてきましたが、生活全体を見ても、楽なことばかりがあるわけでなく、苦と楽が混ざりあっているなかで、みな生きているわけです。だから、陽の気なら陽の気だけ欲しいと思うと、気のめぐりそのものが成り立たなくなってしまうし、楽だけ欲しがっては、とても生きていけないということです。

たとえば、子育てというのはいわば非常に面倒くさい、苦労の多いものです。しかし、苦労しながら育てるといい子が育って、あとで楽しい目をすることができるのです。反対に、子育ての段階で親が楽をして、何でも危ない危ないと過保護でいると、その場は楽だけど、運動神経の鈍い子ができて学校にあがってから苦労する。少々なことで子どもが泣いても、そんなことで泣くな、がまんしないとしらんぷりするのは、親の本能としてはつらいのですが、それでがまん強い子が育つ。ちょっと高い所へ昇るのに、子どもが苦労しているのを手もださずに見ているのはつらいのですが、そうすることで、自分のことは自分でやる子が育つ。先に親が楽をしていると、あとになって親はもちろん子どもまでが苦労するわけですし、一から一〇まで口出しされて育った子が社会へでると、指示されないと何もできない「指示待ち族」になってしまって、会社のほうも本人も苦労するということになってしまうのです。

それよりも、親としてはつらいことでもがまんして子育てを続けていけば、そのうちに「あっ、この子こんなことができるようになった」という喜びが訪れます。子どもが進歩して、発展していくのは親にとって非常に大きな喜びですから、手をだしてやりたいのをがまんしていれば、だんだんと楽しいこともわかってきて、親も本人も喜ぶということになるのです。

ですから、自分本位を捨てて、苦楽があること自体を楽しむ生活が必要なのです。自分本位を捨てれば、感情の波が立たなくなるし、いろいろつらい目にあっても、それを肥料にして自分が進歩すると思えば腹が立たない。

そして、そうやっていると面白いことに、神仏のほうから良くしてくれる、面倒を見てくれるのです。自分で何とかしようと焦っているときよりずっとうまくいきます。もともと人間の運勢というものは、自分がどう思ってもしかたがないものです。人間には運勢を変える能力はないのですから、それで思い悩むよりも、自分は自分のやるべきことを一生懸命やることです。自分の仕事もろくにやらないで、神仏の仕事に口出しするのは、悪い結果をよぶことはあっても、いいことはひとつもありません。自分のやるべきことを、地味に平凡にそして誠意をつくしてやって、運勢は神仏に「お任せ」する。これが本当の意味の「南無阿弥陀仏」で、「極楽往生させてください」と願うのは、こちらから神仏に注文をつけることなので、まちがいなのです。そこのところがわかれば、あまり感情の波も立たずに明るい気持ちで生活できます。

付・本当の医療とは――神霊医療について

第8章の終わりで、人間は自分のすべきことをやっていればいいので、やるだけのことをやればあとは神仏のほうで面倒を見てくれるということを書きました。神・仏がいるということを現在私は確信していますが、これは一般に思われているような、崇《あが》め奉ればご利益があるというたぐいの神・仏とはちょっとちがうのです。

治療中に気づいた不思議な力

「はじめに」でも書いたように、もともと私も西洋医学を修めた耳鼻科の医者でした。普通の大学の医学部をでて医者になっているので、世間的な西洋医学の医者と同じく、いちおう「科学的」に証明されたものでなければ、簡単に信用するわけにはいかないという考え方だったのです。

ですからずっと無神論できたのですが、治療を続けていて昭和五十年ころから自分に不思議な力があるのを感じ始めたのです。

たとえば治療にあたって、どの「ツボ」を使えばよいか、考えなくとも自然にそこへ手がいくとか、その「ツボ」の正確な位置を、一般的なやり方にしたがって指先でさぐらなくても、皮膚面から一センチばかり離れていても指先に「感じ」がくるとか、さらに患者さんの内臓の具合が「見える」ようになったので、X線や胃カメラなどを使う必要がなくなってきたのです。

そうした能力は、次第に強く、そして多方面に広がってゆき、その場にいない人の診断、治療もできるようになってきました。

事の起こりは、家内のいとこが関西にいるのですが、そこの子がたびたび中耳炎になっていたのです。痛くなると電話で知らせてくる。そこで耳の解剖図の上を指先で撫でると、悪いほうの中耳のところで「感じ」があり「ああ今日は右だな」などと思いながら二、三分間撫で続けておくと、しばらくして再度電話があって「お蔭様で治りました」といったことがあり、数回、そんなことがあって以後は中耳炎とは縁が切れたようでした。

このような治療を「遠隔治療」といい、超能力の一種に数えられています。もちろん百発百中で治るわけではないので、治効率を高めるためには日夜修行を積み続けなければなりません。

これらの力を感じ始めていたころに、指導霊、守護霊といったものがあって、指導霊はその人の仕事について指導をしてくれ、守護霊は生活上で何かと守ってくれるものだといってくれた人がいました。その話を聞いて、そんなことはあるかもしれないし、ないかもしれない。どちらも証拠はないので決めかねると思っていたのです。

それが、自宅開業して間もないある日、夜寝る前に布団の上へ坐った所で、ひょっと思いついたのです。「指導霊というのがあると、あの人がいっていたけれど、私にいるのなら、どんな指導霊か、一つでてきてもらおうか」そう心の中でいったのです。すると暗やみの中で目の前に何かでてきているような気がしたから、「あんた誰？」と聞いたのです。いろいろ問い詰めたのですが、向こうは「私は何々の何々だ」といわないのです。昔ＮＨＫラジオでやっていた「二〇の扉」みたいにイエスかノーで答えるだけなので、こっちで質問を整理してやらなくてはいけない。

「動物？　植物？　鉱物？」などと聞いていって、「神？　仏？」と聞いたら、「仏」で「イエス」という答えがありました。しかし仏にもいろいろあるということで、最後に阿弥陀というのがでてきたのです。それで初めて、ああいうものはいるんだなと、わかりました。わかったというか、確信ができたわけです。

私が治療中に感じた不思議な力は、だからこの阿弥陀様が与えてくれた霊能だったのです。これは、神仏がこの三次元の世界で人間やその他の生きもの、自然を作って、そして神仏が望むような世界を作って欲しいということで与える力なのです。だから本当は、特殊な人を捜すのではなく、人間全部が霊能者になればいちばんいいと神仏も思っているし、実際誰でも霊能は持てるのです。おのおの、人生でも果たすべき役割があって、その使命を果たすのに必要な力は与えられるのです。ただ人間が自分本位であると、欲の壁でおおわれてしまうので、神仏の力が届かなくなってしまうのです。ときには欲を持っているくせに、結構霊能のある人がいますが、霊能で病気を治して治療費を一回一〇万円とるとか、形式にひどくこだわるとか、いばりたがるような人は、悪霊に憑かれて、その霊能をもらっているのです。

「霊能」は平凡なもの

霊能、超能力などというと、何か特別なもののように誤解されています。マスコミなどが、霊現象や超能力を興味本位にとり上げているので、この誤解はなおのこと根強くなっています。しかし本当は、地味で平凡なものが主流なのです。地味で平凡なものは、マスコミではとり上げません。それでは視聴率などが落ちてしまうからです。つまり世間の人びとが、ものごとを興味本位に見すぎているからなのです。

霊能が平凡で地味なものである例としては、その道一筋に数十年打込んできた職人、技術屋さん、工芸家などの技術と「勘」などがあります。

戦前、ドイツで日本の名刀を「科学的」に分析して複製を試みたけれども、成功しなかったそうですし、スイスのあるメーカーのスパナやレンチなどの工具製品は、材質も外見も他の工具メーカーのものと変わりはないのに、使いやすくて壊れたり狂ったりしにくいそうです。これは、そのメーカーに伝わる伝統と仕事への誠意によって生じた霊能によるものです。

名人といわれる人が「これから先のことは、教えても会得させられない。本人の努力次第だ」などということがありますが、これは、そこから先は霊能によるものであり、それは本人が努力して、その結果神仏から授かるものであるから教えて身につくものではない、という意味なのです。

このように霊能は、自分本位の想いを捨てて、地味に平凡に誠実に仕事に打込んでいる人に与えられるものであり、人を驚かすようなオカルト的な、おどろおどろしい現象の絡《から》むものは、霊能の正統ではないのです。

神仏は拝まなくていい

以上のように、現在では私は神仏がいることは確信しているのですが、○○宗とか××教といった既成宗教を信ずる気にはなれないのです。

私は元来無神論者だったのですが、それと同時に神仏に反対するという反神論者でもありました。それはなぜかというと、神仏は人間や世界を作ったということになっているのに、そして人間は神仏によって生かされているというのに、一部の者は自分たちの利益のために大気や水を汚し緑を破壊している。また人種差別や宗教間の争いから、テロや集団虐殺、そして戦争、全人類を何回も全滅させられる程の大量の核兵器の製造貯蔵に心をうばわれている。それから個々の家庭や職場の中での、いじめ、いがみあい、もっともらしい建前をかかげながら、本音では自分の都合を子どもに押しつけて、その心を踏みつけにし、歪めている親や教師等々、数えきれない不正不義が横行していますが、それはいったいなぜだろうと思ったからです。

みな今のままではいけない、もっと何とかならないものだろうかと思っているはずです。するると、こんなになるまで放っておいたのは誰か？　人間の責任なのか、神仏の責任なのかと考えてみると、力があるといわれている神仏のほうが何もしないでいて、人間にだけ責任をかぶせるのは片手落ちだと思えるのです。

つまり人間は人間で、やることをやらなくてはいけないだろうが、向こうは向こうでやることをやっているのだろうかという疑問です。こんなにひどくなっているのは、やるべきことを充分にやってないのではないかという感じです。すると、「あいつ何していた」となるから、どうしても反神論になるし、批判もしたくなって「判神論」になる。というわけで神様はいるにしても、拝むほどの値打ちのあるものたちではないと思うのです。

人間をしっかり導いて、いい世の中にさせてくれるのならばそれでいい。だが、それができないなら、無力であって、力不足なのだから拝む必要はないし、力があるのにやらないのなら、なおけしからんから、なおさら、けっとばすことはあっても拝む必要はないでしょう。今でも、その気持は変わりません。

ただ、神仏が世の中を良くしようとしている意志は確認できていますから、先方が怠けているにしても力不足であるにしてもこれに誠心誠意、精一杯協力してゆこう、と考えています。これは、「協神論」とでもいう考え方でしょう。何が何でも神仏は正しくて、完全無欠で全知全能なんだ、世の中がおかしいのは、全部人間が悪いので神仏には何の責任もない、というのは「狂信論」だと思います。

だから、既成宗教のように大きな組織を作って、金を集めるというのもいけないと思うのです。仏像にしても、建築物にしても、文化財としての値打ちはありますが、それは信仰した人の熱心な思いが、ああいう形になってでてきているということなので、坊主・神主が偉いわけではないのです。特に金をとるというのはよくないと思います。

それと同じで、よくご先祖様は祀らなくてはいけないのだろうか、ときかれるのですが、そのときには「あなたも一〇〇年か一五〇年たったらご先祖様だ。今、一五〇年たってご先祖様になったとして子孫に祀って欲しいと思うか」というのです。祀ってくれないからといって、祟《たた》る気になるか。それよりも、ご先祖様であり、親であれば、自分のことを忘れて、墓を足げにしようが、とにかく、みんなが仲よく健康で幸福に暮らしてくれさえすればいいと、そう願うのが正しいのか、それとも自分を放ったらかしにして、寂しい怨めしいということで祟るのがいいのか、どっちだときくのです。そんなのは、誰でも答は決まっています。すると、祟るとか悪いことをする霊だったら、ご先祖様といえるでしょうか。そんな悪いご先祖様なら、こっちから勘当すればいいのです。

ですから、何か祀りたければ、祀ってもいいけれど、祀らなくてはいけないと思ってお義理で祀っても、向こうはあまり喜ばないのではないでしょうか。法事だけは型通りやっておいて、仏壇の前で遺産相続争いをやっているのではご先祖様は悲しむと思うのです。

医者こそ本当の宗教家たるべし

神仏の一番の願いは、拝んで欲しいとか、自分を崇《あが》める人は幸せにしてやりたいとかいうことではないのです。人間でも、犬でも、道具のような無生物でも、みなそれぞれの使命を持ってこの世にでてきているのだから、それぞれがその使命を充分に果たしていく、そのことで世界がうまく、進歩発展していくことが神仏の願いということです。だから人間は、他の生き物よりも偉いとか、ものを粗末に扱ってもいいとか、そういうまちがった考え方は改めること。万物とその霊はみな平等であって、自分本位ではよくないのだということをひろめるのが、本当の宗教であるといえるでしょう。

だから、治療をしても体の病変を治すのは、いわばアトラクションのようなもので、あの先生のいうことを聞く気になろうという気になって、だんだん心を改めていってもらうためにやるという意味もあるのです。「病気」は全身、全霊の病いの一部が目にみえる形をとって現れたものですから、全体的に治せば個々の病変は消えるものなのです。そういう考えからいけば、病名というものも本当はつける必要もなければ、つけることもできないのです。だから、体を治すことだけに心をうばわれているうちは、医者としてはまだ半人前であって、心まで治す、霊まで治すところまでいかなければならないと考えて修行しています。たとえば、病気の根本原因は「心の歪み」、自分本位の想いなのですが、それでは、先天性の病気や奇形はどうなるのか？　という疑問がでてくるでしょう。悪いことを考える知能さえないうちから、病気があるのですから。

この問題は、輪廻《りんね》転生ということがあると承知しなければ、理解ができないのです。

霊魂は相当長い年月生きていて（多くの人は、数億年生きている霊が現在人間の姿を持っているのですが、中には数兆年、数十兆年と、物質宇宙発生以前から生きつづけている霊もあります）、形はありません。それが虫とか木とか人間とかいろいろな形をとって、この世に出現するのです。

たとえてみれば、車を運転する人は五〇年、八〇年と生きていますが、その間に車を何台か買いかえ乗りかえして、古くなった車は解体されてしまいます。運転者が霊魂で、私たちの今持っている肉体が車、みたいなものです。

一〇年、一五年、五〇年と使われる車もあれば、買って二日目に事故でスクラップになる車もあるのと同様に、五〇歳、八〇歳あるいは聖書にでてくる人のように数百年も生きる肉体もあれば、生後三日目で死亡したりする肉体もある、ということです。

　霊魂つまり運転者が病気であれば、運転にまちがいがあるので車にも異常がでてきます。これが肉体の病気で、世間ではこれだけが病気だ、と思っているのです。

　体の病気（病変）だけ治しても霊魂のほうは治っていませんから、生まれ変ってもまた、同じような病気をくり返すことになってしまいますので、霊そのものの病気を治してやらなければなりません。これが先天的の病気、奇形、体質の由来なのです。

　こういうわけですから、霊の心の歪みを治してやると体の病変も消え、以後は生まれ変っても健康で暮らせることになります。

　そこまで治療して初めて、本当の治療といえるのだと思います。

　このように考えてくると、牧師や坊主よりも医者のほうが宗教家でないといけない、ということがいえます。患者さんは患者さんで自分のできることを一生懸命やる、それでも力の足りないところは医者が手助けをする。医者も自分の使命をちゃんと果たす。人間は人間で一生懸命やるから、神仏も一生懸命になって、正しい努力をしている人間には、わざわざ守ってくれといわれなくてもしっかり守り指導してくれる、そういう考えをしっかりとみんなに持たせるのが宗教家の役割だと思います。

つまり本ものの宗教は、本ものの医学であり、両者は一つのものであると思います。

霊によって起こる病気——神霊医療の実際

私の場合は指導霊として阿弥陀仏がついているのですが、どんな人にも、また他の生きものや無生物にも霊がついていて、その霊も様ざまです。なかには心がけの悪い霊もいて、そういう霊につかれる（憑依）ことで起こる病気もあります。

たとえば、胃の悪い人に胃ガンで死んだ人の霊がつくと、まだガンのできるはずのない状態だったところに突然ガンができます。一、二ヵ月前に胃ガンの検診をして何ともないと太鼓判を押された人が、突然ガンで亡くなったりすることがある。これは、霊が自分の持っている病気をその人にくっつけてしまったのです。

こういう人を治療するときは、患者さんには冷えと食べすぎに注意するという、ごく具体的な話をするのですが、それと同時に霊にも話しかけます。

心がけが悪いから、病気になるのだ。心がけを良くすれば、病気は良くなる。怨んでも、怨んでその人に病気をくっつけていじめて喜んでも、その場だけで、怨みは消えないし楽にもならない。

やられているほうも苦しい、やっているほうもちっとも楽しいことはないのです。その場の気休めだけです。そんなことをするよりは、自分の心がけをちょっと改めれば健康にもなり、楽にもなるのだということを霊にいって納得させると、憑いていた霊が離れるのです。

するると患者さんの病気は良くなってきます。後は、患者さんが自分の心がけを改め、冷えと食べすぎの注意をよく守ればいいということになるのです。

「祓う」のはよくない

「憑きもの」がした場合、お祓いをしてもらうことが多いのですが、これはよくないと思います。

「祓う」というのは、憑いている霊を力ずくで追い払うことだからです。それは追えば逃げますが、祓う人がいなくなるとまた、ひき返してきて、「元の木阿弥《もくあみ》」になってしまうことが多いのです。

お祓いをする霊能者よりも強力な霊が憑いている場合、これを「祓う」と霊が怒って、その霊能者に危害を加えることもあります。

憑くのは病気、その他、何かの苦しみを逃れたくて憑いているのですから、前に述べたように話しかけて、納得させると、病気も治り怨みも消えて楽になるので、自分からいきたい所へいってしまって帰ってはきません。

こういう治療は霊を怒らせないで、危害を加えられる心配はないのです。

また、親子の霊の関係から病気が起こることもあります。あまり子どもにいれこみすぎた過保護な親だと、それが災いして、そのつもりがなくても自分の病気を子どもにくっつけてしまうのです。
これは公立病院に勤めているときに経験したのですが、赤ちゃんが中耳炎でくると、その赤ちゃんには中耳炎になるような原因がない。ただ、母親がかぜをひいている。そういう場合に、赤ちゃんには触らないで、母親のかぜの治療をするのです。すると、赤ちゃんの中耳炎は鼓膜が真っ赤になって、膿のでているのが耳鏡で確認できたのに、母親のかぜが二、三分間治療して治ってからみると、膿も止まってきれいになっているのです。この間赤ちゃんの中耳炎の治療は何もしていないのです。

親子の間というのは、おなかにいたときは当然へその緒でつながれていますが、それがきれた後でも、精神的、霊的につながりがあるのです。ですから、子どもというのは何もわかっていないようでも、霊的にはちゃんといろいろわかっているから、親というものはしっかりしないといけないのです。いわゆる理性ではわかっていないと思っていても、全部わかって通じていますから、親の責任というのは非常に重いのです。

そのほか、患者さんにこちらのいうことを聞いてもらうためのアトラクション的な意味と、治るための手助けとして、患者さんにたまっている毒を吸いとってあげることもします。よく私の腕に湿疹のでていることがありますが、これは患者さんの毒を吸って、その毒を排出するためにできるものです。排出しないと私が倒れてしまいます。治療家の中では、よく倒れる人がいるのです。これを「受ける」、つまり患者さんの病毒を受けるといい、「受けなければ治せない」ともいいます。ガンセンターの所長さんなどが、ガンで亡くなられるのも「受け」られたからなのです。

私は自分で「受け」た毒を排出していますが、これができる人は少なくて、治療家は三、四人治療すると疲れがひどくて休まずにおれなくなります。

「受け」を抜く方法はあり、何人かの治療家には教えてあげましたが、本書では説明しにくいし、必要もないので省略しておきます。


これらすべてが神霊医療ということですが、残念ながら現時点ではこうした医療は誰にでもできるものではありません。しかし、何度も書いたように、治療はあくまでも手助けで、健康の基本は患者さんが、自分で冷えと食べすぎに注意しながら、生活と心がけを改めていくことですので、その点がしっかりしていれば医療を必要とすることはまずありません、安心して健康な人生をおくることができるよう努力してください。

著者略歴

進藤義晴（しんどう　よしはる）

大正12年５月生まれ。

昭和23年９月大阪大学医学部卒業、同大学病院で１年間インターン（医学研修）。

昭和24年10月医師国家試験合格。同大学耳鼻咽喉科教室に入局し耳鼻科医としての道を歩み始める。入局に際して「早く良い臨床医になりたい」との理由で学位取得のための研究を辞退、数カ所の病院を転々として臨床家としての修行を続ける。

昭和46年10月小牧市民病院勤務。47年４月より同病院副院長。

昭和56年３月、同病院退職を機会に東洋医学専門で自宅開業、昭和59年ころより超能力を応用した神霊医療による治療も開始、平成３年３月末、閉院、診療打ち切り。郵便による健康指導及び神霊治療（遠隔治療）のみとし、現在に至る。

著書　『自然のささやき医学のつぶやき』（共著、地湧社刊）

新版　万病を治す冷えとり健康法　　健康双書

1988年２月29日　初版第１刷発行
1999年９月10日　初版第54刷発行
2000年３月31日　新版第１刷発行
2024年７月10日　新版第34刷発行

著 者　進 藤 義 晴

発 行 所　一般社団法人　農山漁村文化協会
郵便番号 335－0022　埼玉県戸田市上戸田2－2－2
電話　048(233)9351（営業）　048(233)9372（編集）
FAX　048(299)2812　　振替 00120－3－144478
URL　https://www.ruralnet.or.jp/

ISBN978-4-540-00072-0　　印刷／亨有堂印刷所
〈検印廃止〉　　製本／根本製本

乱丁・落丁本はお取り換えいたします。　　定価はカバーに表示